gleam BOOK

知財語り

基礎からわかる
知的財産権

荒木雅せ

株式会社 朝陽会

はしがき

本書は「知的財産をめぐる話題を取り上げ、法律的にどう考えればよいのかをやさしく解説する連載記事を」という依頼を引き受けたことから始まりました。『時の法令』（発行：朝陽会、編集：雅粒社）で「知財物語」と題した連載は全40回（平成28（２０１６）年3月〜令和元（２０１９）年6月）に及びますが、本書には26回分を厳選して収めています。

本書では、商標法、著作権法、特許法の三つの法律に絞り、知的財産権の輪郭や手触りのようなものを習得していただけるよう〝語る〟ように解説しています。話題は、ゆるキャラやハローキティ、地名と商標など身近なものから、藤原定家の本歌取りや明治の商標などの歴史話、さらにはオプジーボなどの最新医薬品と特許、中国との地域ブランド争奪戦など最近の知財の動向にまで及びます。

さて、執筆の際に心がけたことは、次の二点です。

第一に、「なぜ、いまこのような仕組みになっているのか」を知っていただくこと。そのために法律制定の経緯や背景の事情にも触れています。たとえば1章では、明治時代において商標制度が形成された経緯について説明するとともに、既に江戸時代に「江戸の水」と銘打ち、広告まで打って目覚ましい売上げを得た化粧品があったことを紹介しています。こうした挿話に接することで、近代商標の萌芽を感じていただければと思います。

第二に、代表的な論点や制度を取り上げ、掘り下げて解説すること。体系的な叙述による理解とは異なる方法で、知的財産権の基礎となる考え方を知っていただきたいとの思いからです。たとえば、23章で取り上げた有名会社同士の「切餅訴訟」は、「そもそも特許の侵害とは？」を考える絶好のテーマです。裁判所の判断も分かれており、知的財産権の奥深さも感じていただけるものと考えています。このように、基本的には一般的に重要性が高いと目されているテーマを選びましたが、私自身の関心が優先したものもあります。

知的財産権に関しては、一生かかっても学び尽くせないほどに数多くの法令の規定や裁判例があります。そうした規定や裁判例を制度的な基盤として、続々と新しい知的財産が生まれています。知的財産権に関する知識が普及するにつれ、知的財産はさらに増加するでしょう。知的財産の増加は、私たちの国の繁栄と一人ひとりの暮らしを支えてくれます。本書によって、読者の皆様が知的財産権に一層関心を持って下されば望外の幸せです。

最後に、時の法令で連載を続ける中で、ほぼ毎回、編集者から読者目線に立った修正依頼があり、これに応じて書き直すことで見違えるように読み易い文章になりました。こうしたやり取りは大変楽しいもので、連載を終えたときは喪失感を感じてしまったほどです。本書の出版に当たっても、多大な労をとって下さった編集者、また出版を企画して下さった朝陽会に深甚の謝意を表します。

本書は多くの先行の書籍や研究に負っています。本書の性格上、そのすべてを注記することはできませんが、主要な参考文献は巻末で各章ごとに一覧にしています。また、引用文献については本文中に〔　〕で示しており、〔　〕内の人名とページ番号は巻末一覧の著者とその著作の引用箇所を示しています。なお、法令などを引用する際には、片仮名を平仮名に改めるなど、部分的に手を加えた個所があることを申し添えます。

令和二年一月

荒木　雅也

目次

1 式亭三馬とカステラ福砂屋の商標

㈠　商標は、特許などとともに、知的財産基本法（平成14（２００２）年制定）で知的財産の一種と明記されている。また、商標の保護のために「商標法」という法律も制定されている。

商標法は、登録を条件として商標を保護する。登録を希望する者（出願人）は、特許庁の審査にパスすれば晴れて商標権者となり、登録商標に対する独占的・排他的な権利を付与される。商標権の存続期間は登録から10年であるが、簡易な手続きで、何度でも更新できる。第三者による侵害（登録商標の無断使用など）に対しては、差止めや損害賠償などを請求できる。そして、損害賠償請求については、過失の存在や損害額を推定するための規定などの商標権者を支援するための仕組みが設けられている。なお、商標権は売買も可能であるし、相続させることも、担保に入れることもできる。他人に商標を使用許諾（ライセンス）することでライセンス料を得ることもできる（ライセンス料は契約によって決まる。無償のライセンスも可）。商標を資産として利用することを促すために、所有権に類似するように制度設計されていると考えればよい。

かくして、商標権の内容は後述（21章以下）の特許権によく似ており、かなり強力な権利である。商標法は、特許法のように科学技術の発展を目的とするものではないし、商標はそれ自体では一国の経済の浮沈に影響を与えるものでもない。にもかかわらず、なぜ手厚く保護する必要があるのか、という疑問を持つ向きもあるかもしれない。

(二) まず、商標法の沿革を概観してみたい。日本初の近代的な商標法制度は、明治17（1884）年制定の「商標条例」である。近代的な商標制度として世界最初のものは1857（安政4）年のフランス法であるといわれているので、日本の法制化はさほど遅くはない。なお、小島庸和高千穂大学名誉教授の研究に詳しいが、日本の商標制度に強い影響を与えたのは、ドイツの商標法である。ドイツ最初の商標制度は1874（明治7）年である。

さて、日本の商標条例は、明治32（1899）年に「商標法」制定に伴い廃止。商標法は、同年の「工業所有権の保護に関するパリ条約」（パリ条約）加盟のための義務履行のために制定された。以後、幾たびにもわたる改正を経て、現在に至っている。加盟国は、2020（令和2）年1月9日現在で196か国に達している。

このように、日本の商標法は、特許法と同じく、明治時代に欧州の影響のもとに導入されたものであるが、それ以前に商標やこれを規律する仕組みが全くなかったわけではない。松本重敏弁護士は、①「新薄雪物語」と②「雪の下浜松屋」という、江戸時代の二つの歌舞伎の演目を比較しつつ、特許との違いという観点から商標の来歴を説明している。

①は、刀鍛冶が刀の製造過程の中で刀を冷やすための秘伝の温度を知られることを防ぐために、湯に

腕を入れた者の腕を斬る、という技術の秘匿のありようを筋の軸としている。

他方、②では、呉服屋での万引きを疑われた者が懐に忍ばせていた商品に他の呉服屋の商標が付されていたことで疑いが晴れたという場面があり、江戸時代に既に商標が広く用いられていたことを示している。

両者を比較するに、特許法は、社会全体の進歩のために技術を公開させ、その代償として一定期間独占権を付与する、という理念を持つ。いわば技術の秘匿という古くからの商業道徳や商慣習に反して誕生した法制度である。これに対して、商標法は、古くからの道徳や慣習を近代において取り入れたものであり、その萌芽は近代以前の日本にもあったというわけである。

㈢　すでに、天平宝字元（７５７）年の「養老律令」は、生産者を特定するための表示に関する定めを設けており、これが、日本では、記録に残る限り、商標に類するものについての仕組みとして最も古いもののようである。

「凡《およ》そ出《いだ》し売れらむ者は、行濫為《ぎょうらんす》ることなかれ。其《そ》れ横刀《おうとう》、槍《やり》、鞍《くら》、漆器の属《たぐい》は、各々造る者の姓名題《しる》し鑿《ゑ》らしめよ」という規定がそれである（養老律令27篇「関市令《げんしりょう》」17条）。市場で物を売る者は、欠陥がある物や、名目と異なる品質の偽物を売ってはならず、刀、槍、鞍、漆器の類いには製作者の姓名を記すべし、がその大意である。

こうした不正は当時において現に生じていたようであり、万葉集に、「西の市にただ一人出《い》でて目並べず買ひてし絹の商《あき》じこりかも」という歌が見えることを紹介しておきたい（巻7-1264）。平城京に設けられた市場で、「目並べず」、すなわち大勢の目で吟味するのではなく、「ただ一人」の判断で購入したため、「商じこり」、すなわち良いものを買い損ねてしまった、がその大意である。

さて、小野昌延博士は、古い時代から自己の製作物を他人のそれと区別するために商標が用いられていたが、その多くは近代的な商標とは質的に異なるという。そして、近代の商標の特徴として、商品の品質や長所を保証することが機能の一つであることや、財産権として確立していることなどを挙げ、近代的な商標に近い商標が出現するのは商品流通経済がある程度発達した段階であるという。

思うに、日本では、江戸時代の商標がそれに当たるのではないか。式亭三馬は、文化7（1810）年に、自ら江戸で薬屋の経営を始め、翌年には、自ら開発した化粧水を「江戸の水」（**図1-1**）と銘打って販売開始。目覚ましい売上げを得たという。

注目すべきは、広告のありようである。まず、三馬は、商品の宣伝のためにコンテンツを作成するという先進的な広告手法を採用し、文化9（1812）年には、『江戸水《えどのみず》幸《さいわい》噺《ばなし》』という自著の物語を刊行した。次に、文政7（1824）年に大阪で出版さ

図1-1

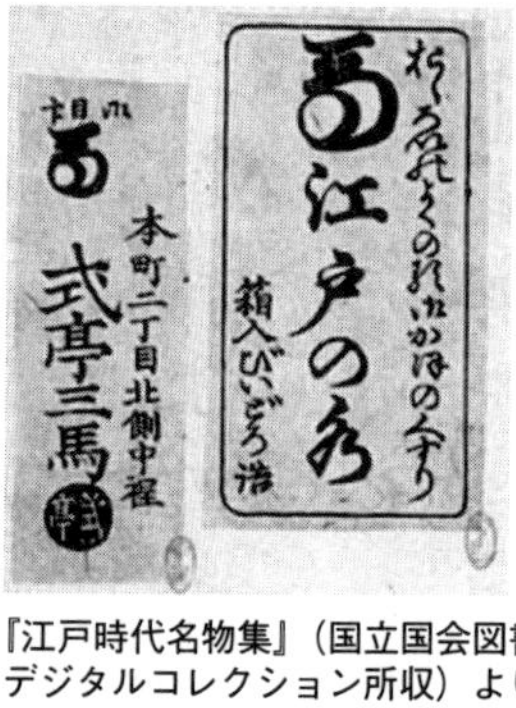

『江戸時代名物集』（国立国会図書館デジタルコレクション所収）より

れた江戸のガイドブック『江戸買物独案内《えどかいものひとりあんない》』には、江戸の水につき、「おしろいのよくのる御《お》かほのくすり」、「にきび御かほのできもの一切によし」、「いろを白くしきめをこまやかにす」という宣伝文句が載っている。そこには、品質や効能を積極的に保証しようとする態度が見て取れ、小野博士が挙げる近代の商標の特徴の一つが見いだされるように思われる。

㈣　それはともかくとして、江戸の水と同様に、江戸時代に始まる老舗福砂屋《ふくさや》のファンの一人である作家の高橋克彦氏の声に耳を傾けることで、商標法の意義について考えてみたい。福砂屋は、寛永元（１６２４）年創業。蝙蝠《こうもり》をあしらった登録商標（図１－２）で有名な長崎のカステラ屋である。

高橋氏は東北で過ごした少年時代には、身近にカステラの専門店がなかったため美味なカステラを食したことがなく、大のカステラ嫌いであった。その高橋氏が、自身がカステラ好きになった顛末《てんまつ》を次のように語っている。

「高校生になるまでカステラは最中《もなか》や落雁《らくがん》と並んで苦手の菓子になっていた。何かぼそぼそして味もそっけない。ケーキのスポンジだけを食べているような気がしてわびしい」、「ある日、母親の知り合いが長崎土産だといって福砂屋のカステラを持参してくれた」、「どうせカステラだ、と軽い気持ちで口に

図１−２

福砂屋のホームページ（http：//www.e-meitetsu.com/mds/foods/fukusaya/）より

含んだ私は、その歯ざわりに唖然とした。よほど上質で多量の砂糖を用いているらしく、その結晶がぷちぷちと鳴る」、「それにどっしりと重く、しっとりしている。私がそれまでに食したカステラとは全然違う。カステラがこんなに凄いものだなんて」、「以来、私は福砂屋のカステラを食べ続けている」、「見かけたら迷わず買う」、「それ以外の店のカステラはほとんど食べないので、結果的には福砂屋だけを贔屓していることになる」〔高橋208ページ〕（傍点筆者）。

㈤　商標法は、「商標を保護することにより、商標の使用をする者の業務上の信用の維持を図」ることを目的とする（1条）。すなわち、商標法は、商標権者が登録商標を独占できる状況を実現することで、商標権者が、優れた商品サービスを同一の商標の下で継続して供給することができるようにする。その結果、商標に「業務上の信用」が日々蓄積される、という想定である。

そして、最高裁によれば、「商標権は、商標権者の業務上の信用を保護することにその本質があり、特許権のようにそれ自体が財産的価値を有するものではない」（小僧寿し事件。最判三小平9・3・11）。つまり、商標法上は、登録商標は箱で、信用はその中身である。

小僧寿し事件では、原告である個人経営の寿司屋は「小僧」という商標登録を得ており、被告小僧寿しチェーンに対し「小僧寿し」という名乗りにつき、損害賠償を請求。これにつき、最高裁は、原告の登録商標は使用の実態がなく、業務上の信用もないことを理由に、損害の発生を認めず、原告の訴えを退けた。信用の蓄積のない商標は空っぽの箱であり、価値はないという判断である。

さて、高橋氏が福砂屋のカステラを、すなわち福砂屋の商標を「見かけたら迷わず買う」のは、商標という箱の中に信用がぎっしりと詰まっているからである。そうであればこそ、高橋氏のように元来カステラ嫌いで、かつ、長崎から遠く離れた東北に暮らす人をも福砂屋のファンにすることができるのである。高橋氏の言は、商標の意義を語り尽くして余すところがない。商標権が強力な権利であることを怪しむ必要はない。

② 明治の商標とゆるキャラブーム

㈠　商標とは、商品やサービスを指し示すための印《しるし》（マーク）のことをいう。商標たり得る印の範囲は、明治17（1884）年の商標条例制定以来、数度の法改正により徐々に拡大してきた。

商標条例では、「図形字体又は其《その》結合」（明治21（1888）年改正。1条2項）と定められていた。明治32（1899）年制定の商標法では「文字、図形又は記号」（2条）と定められ、明治42（1909）年に「文字、図形、記号又は其の結合」（1条2項）と改められた。さらに大正10（1921）年の改正で、「登録を受くることを得べき商標は文字、図形若しくは記号又はその結合」（1条2項）と定められたが、明治42年商標法と大差はなかった。

その後、昭和34（1959）年の改正で「文字、図形若しくは記号若しくはこれらの結合又は色彩との結合」（2条1項）と定められ、新たに「色彩との結合」が商標の範囲に加えられた。

以後、平成8（1996）年の改正により、「立体的形状」が追加。さらに、平成26（2014）年の改正により、「人の知覚によって認識することができるもののうち、文字、図形、記号、立体的形状若しくは色彩又はこれらの結合、音その他政令で定めるもの」（2条1項）とされ、新たに、色彩のみの商標、音の商標、動きの商標、ホログラム商標、位置商標が商標の範囲に加えられ、現在に至る。

このように、現行法では、嗅覚と触覚によって認識される印を商標の定義から排除する一方で、視覚と聴覚によって認識できる印の大半が商標として認められる。

(二)　そうはいっても、商標といえば、明治の商標条例以来、今なお図形と字体（文字・記号）が中心であるところ、博物学者の荒俣宏氏は、明治時代は図形商標全盛の時代であったが、その後、文字・記号商標全盛の時代へ移行したという。

そこで、明治の状況を知るために、国立国会図書館のホームページで公開されている、明治38（1905）年刊『日本登録商標大全』に目を通してみた。同書は、明治37（1904）年末日時点で有効な登録商標を登録順に掲載したものであり、膨大な数の商標が収録されているが、これを見ると、確かに、明治時代は実に魅力的な図形商標が百花繚乱《りょうらん》である。ここでは、当時の風潮を示すと思われる興味深い商標を幾つか紹介したい。

まず、平井祐喜が営む薬屋（京都市）の膏薬《こうやく》に関する商標である（**図2-1**）。男が料理中に自身の人差し指を誤って切ってしまい痛がっている。要するに、けがをしたら平井の膏薬を用いるべしというメッセージであろう。明治18（1885）年6月2日登録であり、記念すべき登録第一号商標である。

次に、山川萬助が営む石鹸《せっけん》屋（大阪市）の石鹸の商標である（**図2-2**）。貴婦人に従者が日傘をさしかけている様子は、見る人に美白効果を印象づけたことであろう。また、梅田仙吉（東京市日本橋）の包丁、小刀などの商標では（**図2-3**）、鍛冶師二人が懸命に鉄を鍛えているさまが描写されており、見る人に包丁の頑丈さを感じさせたことであろう。

なお、アルファベットをあしらったハイカラな商標も見られる。総合商社、双日の源流企業の一つ、岩井商店の綿織物の商標がその一例である（図2-4）。ついでながら、同じく今日に続く総合商社、三井物産の綿織物の商標を見ておこう（図2-5）。双方とも、理知的で活発そうな女性の和服姿が印象的である。

いずれの商標も、日本の歴史と伝統、成熟と気品に満ちている一方で、子供の心をもとらえる無邪気さとユーモアを感じさせる。失礼ながら、現在の双日と三井物産の味もそっけもない文字商標を目にするとき（図2-6・図2-7）、かつての日本人の風格のある遊び心がどこか

図2-1

図2-2

図2-3

図2-4

図2-5

図2-1～図2-5
『日本登録商標大全』（国立国会図書館デジタルコレクション所収）より

図2-6

双　日

SOJITZ

図2-7

三井物産

に消えてしまったように思われてしまう。

㈢　他方、近年、図形商標の復活の兆しも見られるように思われる。熊本県の「くまモン」に代表される、ゆるキャラのブームである。ゆるキャラとは、多くは、マスコット用の可愛らしい絵柄のキャラクターであり、地域や団体のPRなどのために用いられるものである。

念のため、ゆるキャラの法的な地位を確認しておくと、ゆるキャラを含むキャラクターは、商標のみならず、著作権法上の「著作物」としても保護対象となり得る。著作物とは「思想又は感情を創作的に表現したものであつて、文芸、学術、美術又は音楽の範囲に属するもの」（著作権法2条1項1号）。著作物は、商標と異なり登録を受けることなく作品の完成によって権利が発生するため、権利取得コストゼロという利点がある。しかし、キャラクターの図形は著作物に該当し保護対象となるが、キャラクターの名称は著作物に該当しないため、著作権法の保護を得られない。つまり、くまモンの図形は著作権で保護できるが、名称は保護できない。よって、名称も含めて法的保護を受けるためには、商標登録を受ける必要がある（なお、くまモンは、名称・図形ともに商標登録済み）。

さて、ゆるキャラブームに寄せて、青木貞茂法政大学教授（ブランド論）は、自身のフランスでの実地調査の経験を踏まえて次のようにいう。

国家の精神や価値観は、商品銘柄（商品とその商標）に否が応でも反映され、伝統、歴史、遺産は、商品銘柄として結実する。そして、その国を代表する商品銘柄によってその国独自の文化性が再認識され、強化される。フランスでは、フランス革命によって自由と人権が確立し、自由・平和・博愛の共和国フランスが近代国家の起源であるという物語を国民が信じ、そのような物語や神話を絶えず確認することで、外国人からもそうした評価が承認され、あたかも芸道の家元のように権威を高めることに成功している。そのことが世界に冠たるフランスの高級ラグジュアリーや高級ワインへの信頼の源になっている。要するに、私たちは偉大であるという自己神話化がすべての出発点になっている、と。

青木教授はまた、日本はフランスに倣うべきであるという。曰《いわ》く、日本人は自身の文化を信じ、その文化がグローバルに認知されることを目指すべし。世界に誇るべき「子どもと遊びの文化」の価値を再認識し〔青木220ページ〕、「サブカルチャーとモノづくりの国であることを自覚」すべし〔同218ページ〕。そして、東京オリンピックなどの機会にゆるキャラを活用することで、「サブカルチャーの聖地」を目指すべし。そして、「工業が生み出す直接的な価値のみでは1億3千万人の生活水準を守っていくことができない時代」に備えて、「フランスのようにプレミアムブランドとして高付加価値の商品を世界中に販売し、観光客の数が世界トップレベルの国を目指す」べし〔同213ページ〕、と。

㈣「クールジャパン」の旗振り役の一人と目される、米国人ジャーナリスト、ダクラス・マグレイ氏もまた、次のように、日本の繁栄のためには、アイデンティティの回復が必須であると論じている。「日本が経済的混乱と軍事的不安を解決し、日本の若者がゆるぎない信念をもって自身の価値と伝統を主張するようになるならば、19世紀初頭に……軍事的および文化的パワーたらんとしたときのように、東京は世界における役割を取戻すことができる」〔マグレイ48ページ〕。

第二次世界大戦の敗戦国である日本では、国民の間に歴史観の分裂があるし、ある種の歴史観は戦勝国や近隣国から攻撃されるであろうから、フランスのように国の歴史に重点を置いた物語を共有することは難しいのかもしれない。他方、地域ごとに、人々がその歴史や伝統を思い起こし、それをゆるキャラに反映させることには、格別の軋轢《あつれき》も生じないであろうし、かえって意義深い取組みとなるのではないか。ゆるキャラが、明治の商標のように成熟をも感じさせるものとなればいうことはないと思われる。

3 ハローキティと商標のライセンス

(一) ひと昔前までは、世界的に通用する商標といえば、工業製品を別とすれば、多くはフランスのラグジュアリーに代表される欧米の有名な宝飾・衣料メーカーなどの商標であった。日本にもプレイステーションやプリウスなどの有名な工業製品の商標はあるが、それ以外の分野では、クリスチャン・ディオールやイヴ・サンローラン、エルメスなどに匹敵する強力な商標は、なかなか誕生しなかったように思われる。

ところが、近年そうした状況に変化の兆しが見られる。日本企業であるサンリオが昭和49(1974)年に開発したハローキティの世界的な普及である。

ハローキティに注目した米国人ジャーナリスト、ケン・ベルソン氏とブライアン・ブレムナー氏は、ハローキティの成功は「『文化的グローバリゼーションすなわちメイドインUSA』という考えが誤りである証拠」であって〔ベルソン＝ブレムナー28ページ〕、「キティはアメリカだけがポップカルチャーのグローバル化のカギを握っているわけではないことを証明した」と論じて〔同126ページ〕、サンリオを高く評価している。

(二) このようなハローキティの成功は、サンリオの国内外の企業への商標使用許諾(ライセンス)の賜物《たまもの》である（**図3-1**）。平成25（2013）年5月20日の日経ビジネス誌によれば、同24（2012）年におけるサンリオのライセンスによる収入は、日本での売上高（490億円）の22％、欧州での売上高（183億円）の88％、北米での売上高（108億円）の75％、アジアでの売上高（88億円）の83％、南米での売上高（16億円）の95％を占めている。海外でサンリオのライセンス（大半はハローキティ）を受ける企業は2000社に上り、ハローキティの関連商品は109か国の店頭で販売されている。対象となる商品の範囲はとても広く、玩具、台所用品、小型家電、文具、時計、携帯電話など、多岐にわたる。また、平成23（2011）年の世界市場でのライセンス売上高で、サンリオはシェア3％、堂々の8位である。

ところで、後述するように、現行の商標法の下ではライセンスは疑問の余地なく可能であるが、かってはそうではなかった。というのも、昭和34（1959）年の法改正以前は、ライセンスに関する明文の定めがなく、ライセンスの可否については否定的な考え方が強かったためである。すなわち、商標は出所の識別という公益的機能を有しているので、ライセンスを認めてしまえば出所混同が生じてしまうため適切ではないという考え方である。松井宏記弁理士の研究によれば、当時においても、商標権は私権であるので自由にライセンスできるという考え方もあったが、判例と特許庁は否定的立場を採用しており、それが多数説でもあった。

図3-1

なお、そもそも、同年の法改正以前の商標法では「商標権はその営業と共にする場合に限りこれを移転することを得」（大正10（1921）年法、12条1項）という定めがあったことからわかるように、営業と分離した商標権は想定されていなかった。このため、商標法では、ライセンスのみならず自由な譲渡も認められていなかったが、商標権の財産的価値が上昇するにつれ、譲渡やライセンスに制約があることが疑問視されるようになり、昭和34年の法改正により、自由な譲渡とライセンスが認められることになった。

㈢　現行法では、まず、譲渡に関しては、商標原簿（特許庁に備えられた公簿で、商標権に関する各種の事項を記録するためのもの。商標法71条。以下、条文はすべて商標法）への登録を効力発生要件として（35条）、商標権それ自体の譲渡が認められている（24条の2）。ただし、相続や合併などに伴い商標権が移転される場合には、登録しなくとも移転の効果は生じるが、その場合、遅滞なく特許庁長官に届け出ることが求められる（35条）。

次に、ライセンスに関しては、現行法では二つの形態のライセンスを明文化している。専用使用権の許諾と、通常使用権の許諾である。ライセンスを与える者をライセンサーといい、ライセンスを受ける者をライセンシーという。

第一に専用使用権とは、ライセンシー（専用使用権者）が、一定範囲内で、商標を独占的に用いる権利である（30条2項）。一定範囲とは、商品・サービスの種類、使用期間、使用地域、使用の態様（たとえば、商標を付した容器を製造する行為のみに限定する）などである。ライセンサー（商標権者）は、同一の範囲で重複してライセンスすることはできず、たとえ商標権者であっても、専用使用権を設定した範囲では、自己の商標を使用できなくなる。そしてライセンシーは、無断使用などの権利侵害に対して、自ら損害賠償や差止めを請求できる（36条、37条）。また、商標権者の承諾を条件として、他人に通常使用権を許諾することもできる（30条4項）。

第二に通常使用権は、単なる使用権であり独占的な権利ではない（31条2項）。よって、ライセンサー（商標権者又は専用使用権者）は、同一の範囲内で重複して複数の相手方にライセンスを与えることができるし、ライセンサー自身もその範囲内で商標を用いることができる。また、ライセンシーは、権利侵害に対して、損害賠償や差止めを請求する権利はない。

以上の二つの形態のライセンスにつき、商標法は、格別の要件を課していない。わずかに専用使用権につき商標原簿への登録を発効の要件とするのみである。通常使用権は、商標原簿への登録がなくとも、ライセンサーとライセンシー間の契約によって発効する（任意での登録は可能だが、いわゆる対抗要件に過ぎない。たとえば、登録後に商標権の移転などがあった場合にライセンシーは通常使用権を主張できることになる）。

いずれにしても、昭和34年の法改正により、ライセンスに関する定めが商標法に盛り込まれ、結果、ライセンスビジネスが花盛りになっている。

さて、サンリオや欧米のラグジュアリーなどのライセンスビジネスに対しては、過剰な消費をあおるものとして批判もあるが、成熟した資本主義社会において経済成長を確保するためには、消費を維持しなければならず、そのためには、不要不急の商品やぜいたく品を買うよう消費者の購入意欲をかきたてることも必要である。そのように考えると、自由な商標権のライセンスは、資本主義の進歩発展に呼応するものといってよいであろう。

㈣　ところで、ライセンスが野放図に行われることで、第三者や消費者が迷惑をこうむることもないとはいえない。そこで、現行商標法は、不正使用取消審判と称される、不適切なライセンスに対する厳格な法規制を設けている（53条1項）。この制度により、ライセンシー（以下の事例では、ニスク社）が、商標権者（同じく、西山産業）の登録商標やそれに類似する商標を用いることで、他人（同じく、HBI社）の商品・サービスとの混同などを招く場合には、何人もその登録商標の取消しを求めて、特許庁における審判を開始することができる。なお、審判とは、特許庁における訴訟類似の手続であり、審判官が合議して審決という形で結論を下す（5章参照）。

近年の特許庁の審決（平25・1・10）を一つ見ておきたい。

審判の請求人HBI社は、米国の大手アパレル企業へインズブランズ社の100%子会社の商標管理会社である。HBI社は、西山産業（商標権者。登録商標**図3-2**）からライセンスを受けたニスク社（ライセンシー）による商標（**図3-3・図3-4**）の使用が、自己の商品との混同を招くとして、西山産業の登録商標の取消しを求めた。これに対して特許庁は次のように判断して、結論として西山産業の商標登録を取り消した。

西山産業の登録商標（**図3−2**）とニスク社の使用商標（**図3−3**・**図3−4**）は類似している。そして、ニスク社の使用商標はＨＢＩ社の登録商標（**図3−5**）を想起・連想させること、またニスク社・ＨＢＩ社ともにポロシャツなどにこれらの商標を付していたことに鑑みれば、商品の出所について混同を招きかねない、と。

図3−2　西山産業の登録商標

図3−3　ニスク社の使用商標

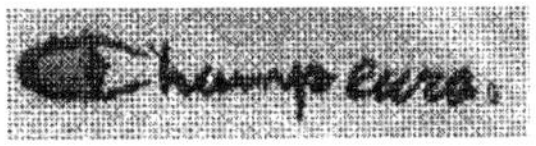

図3−4　ニスク社の使用商標

図3−5　HBI 社の登録商標

なお、商標法上、本件のような事実関係の下では、被害者は通常の商標権侵害事件として損害賠償や差止めを請求することができる（ＨＢＩ社はニスク社に対して損害賠償・差止めを請求できる）であろうが、それとは別に、商標法は、不正使用取消審判という制度を設けている。つまり、ライセンシーに対する監督責任を十分に果たさなかった商標権者に対する制裁の定めを置くことで、不適切なライセンスビジネスを掣肘《せいちゅう》しようとしているわけである。

㈤　53条1項によれば、商標権者がライセンシーの管理などに「相当の注意をしていたときは」商標権者は免責される。本件ではこの点は争点とはならなかったが、鈴木わかな判事によれば、「相当の注意をしていた」といえるためには、商標権者がライセンシーに対して定期的な監督や報告徴収などを行うことが必要である。また、実務的には、ライセンス契約の中で、契約で指定された態様以外での使用を禁じ、これに違反した場合には契約を解除する旨が規定されることが多いようである。

53条1項に違反すると判断されれば、ライセンス契約どころか商標権そのものが消滅してしまうのだから（54条1項）、これからライセンスビジネスを展開しようとしている日本の企業や商標権者は、「相当の注意」が必要であろう。

④ 似ているのかいないのか——商標の類否

㈠　商標権者の最も重要で本質的な権利は、①専用権と②禁止権である。

①専用権とは、登録商標の使用を独占する権利である。ただし商標は、商品とサービスをセットで登録するので、商標権者（出願人）が独占できるのは、出願人が指定した商品・サービス（指定商品・サービス）についての使用に限られる（商標法25条。以下、条文はすべて商標法）。

次に、②禁止権とは、他者による商標権の侵害（無断使用など）を排除するための差止請求権や損害賠償請求権などのことである。②の範囲は①よりも広く、指定商品・サービスそれ自体はもちろん、類似商品・サービスへの登録商標とその類似商標の使用も禁止対象となる（37条）。かくして、禁止権の範囲を把握するためには、類似性の有無（類否）が大きな意味を持つ。

また、先行する登録商標と類似する商標は登録を許されないため（4条1項11号）、類否は、侵害の局面だけではなく、登録出願の審査においても大きな意味を持つ。そして、類否をどのように判断すべきかについては商標法に明文の定めはないが、以下に見るように、伝統的に外観・称呼・観念の三点観察という手法が中心的な役割を担っている。

㈡　三点観察につき、江口俊夫弁理士は、武田信玄と上杉謙信が交わしたといわれる和歌をとりあげて説明している〔江口16〜17ページ〕。

真偽のほどは定かではないが、かつて信玄が謙信に、「杉枯れて、竹たぐひなき、あしたかな」という歌を送ったという。やがて上杉家は枯れ果てて滅びる一方で、武田家は比類ない繁栄を誇ることになると挑発したのであろうが、これに対して謙信は、「杉枯れで、竹だくびなき、あしたかな」（傍点筆者）と返した。つまり、上杉家は枯れず、逆に、武田の首がなくなるのだといって、やり返したのであるが、これら二つの歌は、①見た目（字面）においては似ているとも思われる（濁点のふり方の違いしかない）。しかし、濁点のふり方の違いにより、②発音や音感にはかなり大きな違いが生じ、③意味合いにおいては全く違うものとなっている。①が外観、②が称呼、③が観念である。

松田治躬弁理士によれば、これら三点の観察による類否判断という手法は、すでに大正時代にドイツから導入されていたようである。大審院も、昭和の初めには「およそ商標がその称呼観念もしくは外観の一において類似するときはたとえその他の点において相紛れるところなしとするも商標法上類似商標とみなすに妨げなし」（大判昭8・4・11）と判示している。

㈢　特許庁の現行の『商標審査基準』（改訂第14版、平成31年）も、以下に見るように三点観察の手法を採用しているが、大審院の判断基準よりも少々複雑な構成となっている（同基準の考え方は、近年の最高裁判例とほぼ同じである）。

「商標の類否は、出願商標及び引用商標（先行の登録商標）がその外観、称呼又は観念等によって需要者に与える印象、記憶、連想等を総合して全体的に観察し、出願商標を指定商品又は指定役務に使用した場合に引用商標と出所混同のおそれがあるか否かにより判断する。なお、判断にあたっては指定商品又は指定役務における一般的・恒常的な取引の実情を考慮する」（傍点およびカッコ内筆者）

　つまり、商標の類似性とは、二つの商標が同一・類似の商品に使用された場合に、商品の出所につき混同を生じるおそれがあることを本質とするが、混同のおそれの有無は、三点を総合的に観察し、取引の実情を加味した考察を行うことで判断するということである。

　これらのうち、三点の類否に関しては商標審査基準の中で極めて詳細な考え方が示されている。たとえば称呼に関しては、ともに同音数の称呼から成り相違する一音が母音を共通にする場合（例：「ダイラマックス」と「ダイナマックス」）や、ともに同数音の称呼から成り相違する一音が五〇音図の同行に属する場合（例：「プリロセッティ」と「プレロセッティ」）などは、称呼が類似する、といった基準が示されている。

　他方、「取引の実情」に関しては、指定商品・サービスの取引慣行や、日用品と贅沢《ぜいたく》品、大衆薬と医療用医薬品といった商品の違いなどが例示されている程度で、詳細な考え方が示されているわけではない。以下では、取引の実情を重視している裁判例の考え方を概観してみたい。

① 氷山印事件最高裁判決（最判三小昭43・2・27）

出願された商標（本願商標。**図4-1**）は、氷山の図形に、「硝子繊維」、「氷山印」および「日東紡績」という文字を組み合わせたもの。指定商品は硝子《がらす》繊維糸。特許庁は、本願商標が、糸を指定商品とする登録商標（引用商標。**図4-2**）と類似するとして登録出願を拒絶。出願人は特許庁に審判を請求するも、特許庁は拒絶を妥当と判断（拒絶審決）。→出願人は東京高裁に審決取消訴訟を提起。同高裁は両商標の類似性を否定し、特許庁の審決を取消し。→特許庁は上告。最高裁は次のように判示し、高裁を支持。

外観は明らかに非類似。引用商標からは氷山を意味するような観念が生じず、観念も非類似。称呼は、それぞれ、「ひょうざん」、「しょうざん」であり、近似するとはいえ、差異は容易に認識できる。そして、硝子繊維の取引の実情の下では、称呼においても差異のある両商標を取り違えて混同が生じるおそれはなく、称呼においても非類似とした高裁判決に誤りはない、と。

なお、本件で重視された取引の実情とは、硝子繊維糸メーカーは5社のみであること、注文生産であり特定企業間でのみ取引されること、以上の事情から、取引者が商品の商標で出所を知ることはほとんどないこと、などである。

図4-1

図4-2

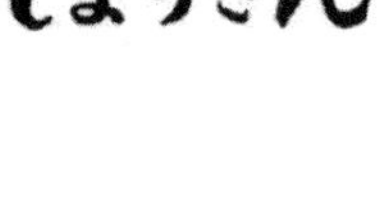

②　宝福一事件東京高裁判決（東京高判昭60・10・15）

本願商標（**図4-3**）は、鏡の図形に「寶」の文字を組み込んだ商標。寶《たから》酒造（株）の出願である。引用商標（宝醤油（株）の登録商標。**図4-4**）は、「宝」と「福一」の組合せから成る。両商標は共に食品分野の商品が指定商品。特許庁は、本願商標が引用商標に類似するとして登録出願を拒絶→寶酒造は審判を請求→拒絶審決→寶酒造は東京高裁に審決取消訴訟を提起。東京高裁は、次のように論じて、両商標の類似性を否定。

図4-3

図4-4

引用商標は「たからふくいち」のほか、「たから」や「ふくいち」などと略称される場合があるし、両商標は「寶／宝」の観念を共通にする。よって、両商標からは同一の称呼と観念が生ずる。しかし、寶酒造の創業は古く国内屈指の酒類メーカーであるため、「たから」の称呼で取引が行われた場合、寶酒造の商品と認識される蓋然性が高いことなどの取引の実情に鑑みれば、混同が生じることはなく両商標は非類似である、と。

③　大森林事件最高裁判決（最判三小平4・9・22）

登録商標「大森林」（指定商品はせっけん類、歯みがき、化粧品、香料類）の商標権者が、他の企業がシャンプーや育毛剤に「木林森」という商標を使用したことにつき、商標権侵害を主張し、差止めを求めて提訴。

最高裁は以下のように判示し、両商標を非類似とした東京高裁判決を破棄・差戻し（差戻審で和解となったため、類否について結論は出ないまま終わった）。

外観につき両商標とも「森」と「林」を用いていること、観念につき両商標とも増毛を連想させる樹木を想起させることなどから、「両者は少なくとも外観、観念において紛らわしい関係にあり、「取引の状況によっては、需要者が両者を見誤る可能性は否定できず、両者が類似する関係にあるものと認める余地もある」。

また、原判決は、「木林森」という商標を付した商品が、「訪問販売によっているのかあるいは店頭販売によっているのか、後者であるとしてその展示態様はいかなるものであるのかなどの取引の状況についての具体的な認定のないままに」、非類似と結論しており、原判決には法令の解釈適用の誤りないしは理由不備の違法がある、と。

㈣　以上見てきたように、取引の実情を考慮することで類否判断の結論が左右されることがあるし、三点のいずれかが類似する場合でも非類似と判断されることもある。取引の実情を重視すれば、より丁寧できめ細かい類否判断ができようが、判断の予測可能性は低くなるであろう。

なお、笹野拓馬弁理士によれば、特許庁の実務では、しばしば、三点のうち一点が類似している場合には商標の類似性が肯定されるという扱いがなされているようである。その場合、かなり定型的な類否判断が可能になるであろうが、それが必ずしもよいともいえない。たとえば、**図4-5**と**図4-6**は外観類似ゆえに（出願拒絶後に拒絶審決。平21・7・7）、**図4-7**と「STELLA」は称呼類似ゆえに（同。平19・10・31）、「セサミ工房」と「ごま工房」は観念類似ゆえに（同。平14・8・6）、それぞれ商標類似と結論されているが、これらの特許庁の判断に対しては、一般国民の目線からは、いささか割り切り過ぎであり、厳格に過ぎるという見方もあるのではなかろうか。

図4-5

図4-6

図4-7

5 紛争に見る商標登録の可否判断
――フランクミュラーとフランク三浦など

(一) 商標をめぐる紛争としては、拒絶査定不服審判と侵害訴訟が、一般にもなじみが深い。

まず、拒絶査定不服審判は、出願人が、特許庁に登録を拒絶(拒絶査定)された場合に開始する手続きである。この場合、出願人は、拒絶査定の謄本が送られてから3か月以内に、拒絶査定不服審判を請求することができる(商標法44条1項。以下、条文はすべて商標法)。審判とは、出願人などが特許庁の審判部に提起することで始まる手続きであり、特許庁の行政官(審判官)の合議体(3人または5人)によって行われる(56条1項)。審判の結果、やはり登録すべきでないと結論されることもあるし(拒絶審決)、逆に、拒絶査定を取り消し登録すべしと結論されることもある(登録審決)。拒絶審決に対しては、出願人は、知的財産高等裁判所(知財高裁)に審決取消訴訟を提起できる。

知財高裁とは、平成17(2005)年に新設された日本で唯一の専門裁判所で、知財訴訟を扱うための東京高裁の特別の支部である。主に、①特許庁の審決に対する審決取消訴訟と、②知的財産権の侵害訴訟の第二審を管轄する。①は知財高裁の専属管轄で、②については他の高裁が管轄することもある。

次に、侵害訴訟は、商標登録を受けた商標権者が、他者により、自身の登録商標に類似する商標を使用された場合などに、差止めや損害賠償などを求めて提訴するものである（36条～39条）。侵害訴訟は全国の地方裁判所が管轄する（東京・大阪両地裁は、全国の地裁と共に管轄する（競合管轄））。

㈡　商標法上、これら以外にも幾つかの紛争の形態があるが、特に重要なのは、商標登録の無効審判である（後述するフランク三浦事件は、無効審判の事件である）。

商標法は拒絶査定されるべきタイプの商標を明記しているが（15条）、特許庁における審査の過誤のため、そうした商標が誤って登録されてしまうことがある。無効審判は、そのような商標登録を放置することは妥当ではないとする利害関係人からの請求に応じて開始される手続きである。審判の結果、無効と判断されれば無効審決が下され、登録無効→商標権消滅となる（18条1項）。

無効とされる商標（46条1項）は、拒絶査定の対象となる商標（15条）とほぼ同じである。その主なものは、①3条1項1号～6号と、②4条1項1号～19号に該当する商標である。

まず、①は、商標の最も中心的な機能である自他商品識別力（自己の商品・サービスを、他人のそれと区別させる機能）を欠く商標である。本質的に登録商標たり得ないものであり、普通名称（3条1項1号）や記述的商標（同3号）などがこれに当たる。記述的商標とは、商品の産地や品質その他の特性を表示する商標であり（6章参照）、たとえば、納豆（指定商品）につき「さいたま納豆」、粕《かす》漬肉・魚介類につき「有明漬」、化粧品につき「skin」、衣服につき「全天候型／オールウェザー」などが、これに当たるものとして登録を不可とされた例がある。

次に、②は、政策的な見地から登録に値しないとされる商標であり、二つのカテゴリーに大別される。第一のカテゴリーは、公益的な見地から登録不可とされるものであり、国旗・菊花紋章・外国の国旗等（4条1項1号）、国連その他国際機関を表示する標章（同3号）、赤十字の標章・名称等（同4号）などがその例である。

第二のカテゴリーは、私益的な見地から登録不可とされるものである。最も重要なものは、同一・類似の商品・サービスについての、「他人の登録商標又はこれに類似する商標」（同11号）である。同号は、他人の先行する登録商標との間に類似性があれば商標登録不可で、類似性がなければ可という商標法の基本的な考え方を具体化するものである。

他方、商標または商品・サービスが非類似であっても、業界の事情などに鑑みれば他人の商品・サービスと「混同を生じるおそれがある商標」と判断されるものも、4条1項15号に基づき登録不可とされる。これに該当する例は以下のとおりである。

図5−1

図5−2

図5−3　ビクター社の商標

図5−4

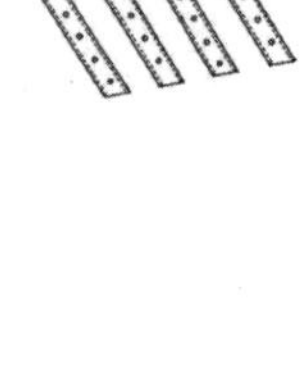

図5−5　アディダス社の商標

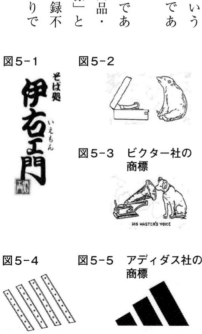

まず、**図5-1**の出願商標（指定商品は蕎麦《そば》）が「伊右衛門」（緑茶飲料）と混同のおそれありとして同号該当。商標非類似の例として、**図5-2**の出願商標（蓄音機用針）が**図5-3**（蓄音機）と、**図5-4**の出願商標が**図5-5**（ともに履物）と、混同のおそれありとして同号該当。商品・商標共に非類似の例として、出願商標「スバリスト」（固形潤滑油）が「スバル」（自動車）と混同のおそれありとして同号該当。いずれも登録不可とされた。

加えて、混同のおそれの有無を問わず、国内外の有名な商標を「不正の目的をもって使用する」商標も4条1項19号に該当するものとして、登録不可である（ただし、同号では、出願商標と有名商標との類似性が要件となる）。特許庁の「商標審査基準」は本号に該当する典型的な局面として、外国の有名商標が日本で登録されていないことを奇貨として高額で買い取らせるために先回りして出願する場合を挙げている。実際に出願商標「MARIEFRANCE」（女性用の洋服など）が、フランスの週刊誌「MARIE FRANCE」誌の商標を不当に使用するものと判断された例がある。

㈢　このように、登録可否の判断はしばしば容易ではなく、特許庁と裁判所の判断が相違することも度々である。注目を集めたフランク三浦事件においても判断が二転三転している。

本件は、日本企業ディンクス社が、世界的に有名なスイスの高級腕時計フランクミュラーのパロディ商品を「フランク三浦」と銘打って生産・販売し、かつ、時計などを指定商品として商標登録を受けたことが発端である。

「フランク三浦」が商標登録されたのは平成24（2012）年8月24日。これに対してフランクミュラーの商標管理会社であるFMTMディストリビューション社が、同27（2015）年4月22日に「フランク三浦」の登録につき特許庁に無効審判請求を行った。同社は、「フランクミュラー」につき同18（2006）年8月11日に、「FRANCK MULLER」につき同6（1994）年12月22日に、それぞれ商標登録を受けていた（いずれも指定商品は時計など）。

無効審判では、上記㈡②の第二のカテゴリーに該当するか否かが主な論点となり、結果、「フランク三浦」が、4条1項11号のほか、15号や19号などに該当すると判断。登録無効と審決された。

これに対して、ディンクス社は知財高裁に審決取消訴訟を提起。知財高裁は、審決とは対照的に、11号・15号・19号などのすべてにつき非該当（無効理由なし）と判断。無効審決を取り消し、「フランク三浦」の登録を有効と判決した（平28・4・12）。以下では、11号に関する判断に絞って、審決と判決の判断を整理してみたい。

同号のポイントは、先行登録商標である「フランクミュラー」と、「フランク三浦」の類似性の有無（類否）である。類否の判断においては、外観・称呼・観念の3点が比較された（4章参照）。

まず、審決・判決とも外観は非類似。称呼は類似（フランクミュラーとフランクミウラ）。観念に関しては、審決・判決で判断が分かれており、審決・判決ともに、観念に関する判断が決め手となった。

審決では、ディンクス社が自社商品を宣伝するに際してフランクミュラーを引き合いとしそのパロディ商品として積極的に宣伝していた事実を認定し、そうした取引の実情に鑑みれば、「フランク三浦」が「フランクミュラー」を想起させ、その観念を生じさせるとして、観念類似と判断された。

対照的に、知財高裁判決では、「フランク三浦」からは、日本人・日本と関係のある人物という観念が生じるとして、観念非類似と判断。加えて、フランクミュラーの商品の多くは100万円を超えるのに対しディンクス社の商品は数千円であって取引者や需要者が両者を混同することはあり得ないとして、両商標は非類似と結論された。

(四)　FMTMディストリビューション社は最高裁に上告したが、平成29（2017）年3月2日に最高裁（第一小法廷）は上告を退ける決定を下した。結果、知財高裁の判決が確定し、「フランク三浦」の登録が有効であることが確定した。

このように、商標法にはパロディそれ自体についての定めがないため、登録可否の判断においては、混同や類否などの問題として処理されることになる。そうすると、パロディ商品の購入者が、原作商品と誤認して購入するおそれがない限り、パロディ商標だからといって、原作商標と類似するとの判断にはならない。また、横尾和也弁護士がいうように、「パロディ商品は笑いを取ることが目的」であるし、「原作を利用して新たな世界を表現するものなので、原作とは観念が違ってくるはず」である〔横尾35ページ〕。そうであるならば、パロディを商標法上問題視すべきケースはそれほど多くはないように思われる。

6 地名と商標
——登録可否の分かれ目はどこか

(一) 商標法の考え方では、地名から成る商標（地名のみから成る文字商標や、地名＋商品・サービス名称から成る文字商標）を登録することは基本的には望ましいことではない。第一に、地名から成る商標には自他商品識別力がない。第二に、地名は、万人が利用できることが好ましく、特定人に独占させることは適切ではないからである。

そこで、商標法は、「商品の産地、販売地…役務の提供の場所…を普通に用いられる方法で表示する標章のみからなる商標」（以下、産地・販売地表示）は、登録不可と定めている（3条1項3号。以下条文はすべて商標法）。

産地・販売地表示に該当するとして登録が不可とされた近年の例には、次のようなものがある（いずれも、出願人は地元企業）。

○茨城県鉾田市産のバウムクーヘン（指定商品）につき「HOKOTA BAUM」（知財高判平28・10・12）

○湘南地方二宮町産のオリーブを原料とするオリーブオイルにつき「湘南二宮オリーブ」（同平27・

1・28）

○山形県米沢地方産の和牛の肉につき「米沢熟成和牛」（平26・5・8審決）

㈡　以上は、商標が表示する土地で実際に生産・販売が行われていた例であるが、そうでない場合であっても登録不可となる場合がある。たとえば、最高裁は、日本コカ・コーラ社がコーヒーやコーヒー飲料などにつき「GEORGIA」を商標登録しようとしたところ、同社はコーヒーを米国ジョージア州において生産しているわけではなかったが、次のように論じて、登録を不可とした（最一小判昭61・1・23）。

産地・販売地表示に該当するというためには、商標に表示されている土地（ジョージア州）で問題の商品（コーヒーなど）が生産、販売されているであろうと「需要者又は取引者」に認識されていれば十分であり、現実に、コーヒーがジョージア州で生産、販売されている必要はない。Georgiaという商標に接する需要者や取引者は、コーヒーがジョージア州で生産されていると認識するであろうから、この商標は産地・販売地表示に該当し、登録不可である、と。

ただし、地名から成る商標の登録が全く不可能なわけではない。産地・販売地表示に該当するか否かは、需要者・取引者の認識を基準に判断されるため、実在の地名であっても、需要者・取引者に産地・販売地表示としての認識が生じない商標であれば登録可能である。たとえば「富士」は、フジフィルム社が写真器具などについて、富士電機社がアイロンなどについて、日立造船社が化学品について、

SUBARU社が便所ユニットなどについて、それぞれ商標登録している。

㈢　商標法ではそのほかにも、地名を商標として登録するための選択肢がある。①図形入り商標の登録、②使用による識別力獲得、③地域団体商標の登録である。

第一に、①について、特徴のある図形が付加されていれば（文字＋図形の商標であれば）、図形部分により他人の商品から自己の商品を識別できるため、登録が可能となる。伊勢ひじき（**図6-1**。平成17（2005）年登録、出願人は三重県ひじき協同組合）、小田原蒲鉾（**図6-2**。平成15（2003）年登録、小田原蒲鉾協同組合）、宇治茶（**図6-3**。平成7（1995）年登録、京都府茶協同組合）などがその例である。

しかしながら、他人が、文字部分はそのままに図形部分だけを変えた商標を使用する場合、原則として類似とは判断されない。よって、図形入り商標を登録しても、他人の便乗使用を阻止することは難しいこともある。

また、図形を組み合わせれば必ず登録できるわけでもない。たとえば、島根産のミネラルウォーターにつき図形入り商標（**図6-4**）が登録を

図6-1

図6-2

図6-3

図6-4

拒絶されている（平26・3・31審決）。
出願人は、この商標は島根県の地図図形との組合せという独特の構成であり、識別力があると主張したが、審決はこの主張を退け、出願商標の「図形部分に接する取引者、需要者は、本願商標が使用される商品が、島根県西側の一部地域で採水されたものであること程度を認識するにとどま」り、識別力なしとして、登録不可と判断した。

第二に、②の使用による識別力獲得については、産地・販売地表示であっても、「使用をされた結果需要者が何人かの業務に係る商品又は役務であることを認識することができるものについては…商標登録を受けることができる」（3条2項）。そして、ここにいう「認識」とは、全国レベルでの知名度を獲得したことをいうと解されている（『商標審査基準』）。なお、この場合は図形入りである必要はなく、文字のみで登録できる。たとえば、上述の「Georgia」も、上記最高裁判決後の昭和63年に、使用により識別力を獲得したとして特許庁において商標登録された。そのほか、有名なものとしては、たとえば「バーモントカレー」（昭和62年登録）や「ジャワカレー」（平成7年登録）も同様の理由で商標登録されている。

しかしながら、全国的な知名度を獲得していると認められるのは必ずしも容易なことではない。たとえば、夕張メロンですら、3条2項の適用が認められるのは容易ではなかった。夕張メロンの生産開始は昭和35（1960）年であるが、昭和40年代には「夕張メロン」と称する類似品が市場に出回り始めた。夕張市農協は当初は図形入り商標を登録し（同52年／1977年）、その後、文字のみでの商標登録を試みたが、3条2項の要件を満たさないとして二度拒絶され、三度目の出願（平成5年／1993年）でようやく登録に至った。

また、上記の鉾田市産バウムクーヘンについては、幾つかの品評会で輝かしい受賞歴があるが（2011（平成23）年にベルギーで開催された世界三大大会の一つ「モンドセレクション」では金賞）、知財高裁は、「商標を使用した商品の販売期間、販売量、マスメディアに取り上げられた回数等は明らかではなく、使用をされた結果、自他識別力を獲得するに至ったと認めることはできない」と論じて、文字のみの商標を登録不可と結論している。

㈣　かくして、①②ともに容易には登録できないという難点があり、発展途上にある地域ブランドを保護する上で十分ではない。そこで、平成17（2005）年の商標法改正により導入されたのが、③の地域団体商標である。

地域団体商標とは、「地名＋商品・サービス名称」の登録を可能とし（①とは異なり、図形との組合せは不要）、隣接都道府県に及ぶ程度の知名度があれば登録が認められる（②とは異なり、全国的な知名度は不要）。

ただし、商標に含まれる地名が表示する地域が、商品の産地・サービス提供地であることや、商品・サービスと一定の関係（「密接な関連性」）を有することが求められる（7条の2第2項）。『商標審査基準』によれば、産地とは、農産物については生産された地域、水産物については水揚げ・漁獲された地域である。サービス提供地とは、温泉などが所在する地域である。サービス提供地の登録例としては、「熱海温泉」、「かっぱ橋道具街」、「鴨川納涼床」、「保津川下り」などがある。密接な関連性がある地域とは、主要原材料の産地や製法の由来地などである。

加えて、権利の主体に関しても要件がある。地域団体商標の権利者になれるのは、事業協同組合その他の法律に基づき設立された組合（農協、漁協、森林組合、酒造組合など）・商工会・商工会議所・NPO法人・これらに相当する外国法人に限定される（7条の2第1項）。よって地方自治体は地域団体商標の権利の主体たり得ない。外国政府や外国の自治体も同様である。

そして、地域団体商標はこれらの団体が、その構成員に使用させる商標でなければならない（構成員に加えて、団体が自ら使用してもよい）。組合等は正当な理由がなければ地域の同業者の加入を拒否できないため（7条の2第1項）、地域の同業者であれば、特別の事情がない限り使用できる。また、地域団体商標は通常商標とは異なり譲渡と専用使用権（3章参照）の設定は不可であるため、地域の同業者以外はこれを用いることができないことになる。

㈤　さて、前述のように、三重県ひじき協同組合、小田原蒲鉾協同組合、京都府茶協同組合は、元来は「文字＋図形」で商標登録を得ていたが、平成17年の法改正後、相次いで地域団体商標を出願し、それぞれ登録に至っている（「伊勢ひじき」同19（2007）年、「小田原蒲鉾」同23年、「宇治茶」同19

年）。しかしながら、「HOKOTA BAUM」のほか、㈠に列挙した商標は、団体による出願ではなく単独の企業が出願したものであり、地域団体商標の登録を得ることはできないため、商標登録のためには、図形と組み合わせるか、全国的な知名度を獲得することを気長に待つかのいずれかしかないであろう。なお、HOKOTA BAUMの出願人は平成22（2010）年に、**図6-5**の図形入りの商標を登録している。

最後に、余談ながら、しばしば学生から「東京ばなな」はどのようにして商標登録できたのかと問われるが、登録商標は「東京ばな奈」である（平成11（1999）年登録、図形入りではない）。「東京ばなな」では登録が困難であるという判断によるものと思われる。

図6-5

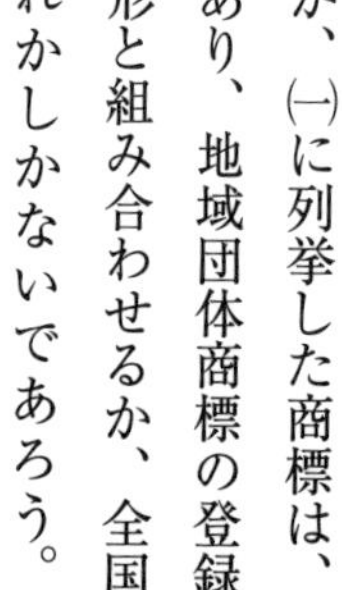

7 中国との地域ブランド争奪と、地理的表示（GI）制度

㈠　近年、中国では、日本の地名が中国企業によって商標出願・登録されてしまう事例が相次いでいる。ジェトロの令和元（2019）年の調査によると、日本の29の都道府県名と5の政令指定都市名が、中国などの外国企業・個人の出願によって登録済みである。

日本の生産者により日本で商標登録された日本の地名が、中国で中国などの外国企業・個人により商標登録された例もある。お茶などを指定商品とする「八女茶」がその一例であり、日本産「八女茶」は、中国に輸出しても他の名称で販売せざるを得ないであろう。

こうした事態が横行するのは、商標制度は国ごとに存在し、ある国で登録された商標の効力は、その国内に限られるからである。よって、日本の生産者や団体が日本で登録した商標を他国（中国など）においても独占したいのであれば、他国でも改めて出願・商標登録しなければならない。

㈡　さて、前章で見たように、日本の商標法では、実在の地名であっても地名として一般に認識されていなければ商標登録できることもある。日本の地名としては「富士」がいくつかの商品で登録されているし、外国の地名としては「SIDAMO」（エチオピアの地名）が、コーヒーの商標として登録可能と判断されている（知財高判平22・3・29）。

河野英仁弁理士によれば、中国の商標法もほぼ同様であり、「産地について公衆に誤認を生じさせるもの」（10条1項7号）や「周知の外国地名」（同2項）は登録できないという定めがあるが、ある程度中国の公衆に知られている産地でなければ、登録が拒絶されることはないようである。したがって中国政府が日本の地名を商標登録してしまうことは、出願人に不純な動機が疑われるとしても、致し方ないことであろう。

なお、日本でも中国でも、商標登録に対して第三者が無効の主張や異議申立てを行うことが可能なため、日本の自治体などが、中国での商標登録を阻止することもできる。たとえば、２００２（平成14）年に、中国企業が果物・ジュースなどを指定商品として「青森」を中国で商標登録しようとしたことがあるが、これに対しては、青森県などが異議を申し立て、登録阻止に成功している。

㈢　ところで、日本では、地名を登録（保護・独占）するための仕組みとして、平成17（２００５）年商標法改正により地域団体商標制度が導入されているが（令和元年11月30日時点で、登録件数６７１件）、これに加えて、平成26（２０１４）年の地理的表示法制定により、農林水産物・飲食料品一般を対象とする地理的表示（Geographical Indication：ＧＩ）制度が導入されている。登録件数は、令和元年12月10日時点で、89件である（ただし、平成７（１９９５）年に「酒税の保全及び酒類業組合等に関する法律」に基づき、葡萄《ぶどう》酒・蒸留酒・清酒のみを対象とする限定的なＧＩ制度が先行して導入されている。令和元年10月末時点で、登録件数10件）。

ＧＩ制度は、20世紀初頭のフランスのワイン産地表示規制を主な起源とする制度である。伝統的な産物が生産地に起因する独特の品質（味や香りなど）を持つ場合に、生産地内の生産者のみに産地名称（ＧＩ）の使用を認める登録制の制度である（商標と同じく、名称と商品とのセットで登録する）。

ＧＩ制度は、近年、世界的に普及しつつあり、現在１００か国以上が制度を導入している。最も完成度が高くかつ強力な保護を実現しているのは欧州連合（ＥＵ）で、１９９０年代初めに始まったＥＵの制度が、最も重要なモデルとして日本を含む世界各国において継受されている。現在、ＥＵにおけるＧＩの登録件数は３０００件を超える。

同じく登録件数が３０００件を超えているのは、２０００年代初頭にＧＩ制度を導入したばかりの中国である。中国は上述のように商標制度を利用して日本の地名に触手を伸ばしつつ、急速に自国産地名称のＧＩ登録を積み上げつつある。

このように登録件数世界一を争うＥＵと中国が、早くから協力関係を構築し始めていることは注目に値する。両者は２００７年開始の「10＋10の相互指定プロジェクト」に基づき、相手側の10名称につき、相互に自国においてＧＩとして登録した。加えて２０１７年に、「地理的表示に関する協力及び保護のための協定」の締結交渉を推進することと、同協定に基づき相互承認されるＧＩのリスト（双方につき１００件ずつ、計２００件）を公表した。

ＥＵは、他の多くの国々との間でもこうした取組みを進めているが、日本との間でも平成30

（2018）年に、「経済上の連携に関する日本国と欧州連合との間の協定」（日EU・EPA）を締結し、その結果、農産品・食料につき、日本の48の地理的表示産品がEUにおいて保護され、EUの71の地理的表示産品が日本において保護されることになった。また、酒類につき日本の8産品とEUの139産品が相互に保護されることになった。

㈣　ここで、GIの主な特徴を、商標（特に、地域団体商標）と比較しつつ把握してみたい。

双方とも、個人や個々の企業ではなく、地域の農協などが申請・出願を行う（地域団体商標では出願を行う団体の範囲がより限定される）。地域団体商標は特許庁に出願し、GIは農林水産省に申請する。

大きく異なるのは、登録の要件である。地域団体商標制度では、品質の如何《いかん》は問題とならず、地域と商品との間に、ある程度の関係（原材料の産地であること、生産方法の発祥地であることなど）があれば登録できる。

これに対し、GI制度では、商品が生産地に起因する独特の品質（味や香りなど）を持つことが登録の基本的な条件となる。そして、GIを使用する産物が、確実にこうした品質を持つことを担保するために、申請した団体が自ら定めた生産基準（生産地の範囲、品種、原料、生産方法など）が審査対象となる。そして、これらの生産基準は公示され、いわば生産者団体による公約となるため、審査にパスし登録に至った場合、生産者はこれを遵守する義務を負う。たとえば「飯沼栗」（平成29年登録）は、生産地は「東茨城郡茨城町」、品種は原則として「石鎚《いしづち》」、生産方法として約1か月の冷温貯蔵と定められているため、他地域産の栗、所定の品種ではない栗、冷温貯蔵していない栗などに、「飯沼栗」という名称を用いることは禁止される。

そして、生産基準に合致しない栗に何人かが「飯沼栗」などと銘打って販売すれば、農林水産大臣がこれをGI法違反として摘発する。商標法（地域団体商標を含む）では、侵害に対しては商標権者自らが提訴することが基本である。

㈤　国により制度の違いもあるが、GIは商標に比して登録要件が厳格なため（概して保護も強力である）、世界的には、地域ブランドのための制度としては最も格が高いものと見なされている。よって日本の生産者が産物の輸出を視野に入れているのであれば、いずれは外国におけるGI登録に乗り出すことが得策だろうが、それに先立ち、国内におけるGI登録を行っておくことが望ましい。世界の大半の国々が加盟している「知的所有権の貿易関連の側面に関する協定」（TRIPS協定）によれば、「加盟国は、原産国において保護されていない地理的表示を保護する義務を負わない」（24条9項）ため、日本で保護されていない日本国内のGIは、他国において登録を得られない可能性があるからである。

そこで、日本国内の自治体は、地元の生産者団体のGI登録に向けた取組みを積極的に支援してはどうだろうか。そうした例として、青森市役所は「あおもりカシス」（平成27（2015）年GI登録）の登録・管理において中心的な役割を担っており、現在も生産者団体の事務局は、青森市役所（農林水産部あおもり産品支援課）に設置されている。

最後に、ＥＵでは今なお新規のＧＩ登録が続いているが、それらは概して小粒なものばかりで、欧州の魅力的なＧＩはすでにほぼ出尽くしている。一方で、日本と中国は、世界的な知名度を欠くが優れた産物を多数擁しており、今はこれらを世界に売り込むべき時期である。そのようなときに両国が足を引っ張り合うことは好ましくない。ひとまずは、ＥＵ・中国間「10＋10の相互指定プロジェクト」のような協力関係を構築すべきではないか。そして、中国側に日本との協力を持ちかけるためにも、その前提として日本におけるＧＩ登録件数を積み上げるべきであろう。

8 登録商標の普通名称化――招福巻、正露丸、ウォークマン

(一) 商標法では、登録を拒絶されるタイプの名称が幾つか列挙されている。その一つが、6章で見た「その商品の産地、販売地」(商標法3条1項3号。以下、条文はすべて商標法)であるが、ほかに、とりわけ議論を呼ぶことが多いのは、「その商品又は役務の普通名称」(同1号)である。『商標審査基準』によれば、取引者において、その商品・役務の一般的な名称(略称・俗称などを含む)であると認識されている場合には、普通名称と判断される。

同基準が、普通名称の例として、サニーレタスについて商標「サニーレタス」、スマートフォンについて商標「スマホ」を挙げていることからわかるように、商標は指定商品との関係において普通名称となる。よって、たとえば「アップル」はリンゴに関しては普通名称であるが、スマートフォンについては普通名称ではない。

(二) ところで、ある商標が普通名称か否かが問題となるのは、その登録の可否を審査する場合だけではない。審査の結果、普通名称ではないと判断されひとたびは登録された商標であっても、裁判所において、登録後の事情の変化により普通名称化したと判断されてしまうこともある。こうした状況は、登録商標の無断使用などに対し、商標権者がこれを侵害として提訴する場合(侵害訴訟)に生じる。

商標法では、普通名称化した登録商標はもはや商標としての実質を失っているので、その無断使用は容認されるべし、と考える。しかし、登録時に普通名称でなかった以上、登録したことに誤りはなく無効にするわけにはいかない。

そこで商標法は、登録商標としての地位は認めるが、これを用いようとする者には使用を解禁するという態度をとる（26条1項）。つまり、商標権者が侵害訴訟を提起しても、裁判所は「商標権侵害なし」と判断することになる。

(三)　以下では、「招福巻《しょうふくまき》」事件を手掛かりにして、どのような場合に普通名称と判断されるかを考えてみたい。

本件の原告である小鯛雀鮨鮨萬《こだいすずめずしすしまん》（大阪の老舗料理店）は、加工食料品などを指定商品とする「招福巻」（昭和59（１９８４）年出願、昭和63（１９８８）年登録）の商標権者である。原告は、被告・イオンがその経営するスーパー「ジャスコ」において、平成18（２００６）年と19（２００７）年に節分用の巻き寿司を「十二単《じゅうにひとえ》の招福巻」と銘打って販売したことにつき、「十二単の招福巻」は「招福巻」に類似し商標権侵害に当たるとして、イオンに対し差止めと損害賠償を請求した。

これに対して、イオンは「招福巻」は普通名称化しており、26条に基づき原告の商標権はイオンには及ばない（ゆえに適法に「招福巻」を使用できる）と反論した。

大阪地裁（平20・10・2）ではイオン敗訴。大阪高裁（平22・1・22）ではイオン勝訴。両裁判所は、「招福巻」と「十二単の招福巻」の類似性を認めた点では判断を同じくするが、大阪地裁は普通名称化を否定し、大阪高裁はこれを肯定した。地裁と高裁の審理では提出された証拠や認定事実もほぼ同じであるのに、結論が正反対になったことにつき、田村善之東京大学教授は、大阪地裁は使用状況の分析を重視する立場であるのに対し、大阪高裁は言語構成の分析をより重視する立場をとったと解説している。

①　大阪地裁の判断

同地裁は、原告以外に、全国で約30もの業者（ダイエー、阪急百貨店、小僧寿し、なだ万など）が節分用巻き寿司を「招福巻」と称して販売していた事実を認定し、加えて、それらの使用例の中には「一般的な名称として用いていると見る余地がある」ものも含まれることを認めている。にもかかわらず、同地裁は、以下の事情を踏まえて、普通名称化を否定した。

○原告以外の業者による「招福巻」の使用は平成17（2005）年以降であること

○少なからぬ業者（ダイエーなど）が、節分用巻き寿司の一般的な名称として「丸かぶり寿司」や「恵方巻」を用いており、かつ、「招福巻」を「丸かぶり寿司」などの一種と扱っていること

○『広辞苑第五版』（平成10（1998）年）には、「招福」、「招福巻」ともに記載がなく、同第六版（平成20（2008）年）には「招福」の記載はあるものの、「招福巻」の記載はないこ

と（他方、「恵方巻」は同第六版に記載がある）

○平成19年に原告から商標権侵害に当たる旨の警告を受けた業者の多くが「招福巻」の使用を停止したこと

② 大阪高裁の判断

同高裁は「招福巻」という語につき、「招福」＝福を招く、「巻」＝巻き寿司、と分析し、「招福」＋「巻」→「招福巻」は、「一般人がみれば、極めて容易に節分をはじめとする目出度い行事等に供される巻き寿司を意味すると理解する」名称であって、「特定の業者が提供するものではなく、一般にそのような意味づけを持つ寿司が出回っているものと理解してしまう商品名」と判断した。

そして、「現に、遅くとも平成17年以降は極めて多くのスーパーマーケット等で招福巻の商品名が用いられていることが認められる上」、阪急百貨店の広告チラシ中では、原告の商品名である「〝すし萬〟招福巻」のほか、「京都嵐山〝錦味〟錦の招福巻」、「〝大善〟穴子招福巻」が併記されていることから、「招福巻と表示される巻き寿司が特定のメーカーないし販売業者の商品であると認識する需要者はいなくなるに至っていたことが窺われる」と論じた。

同高裁は加えて、「招福」が『広辞苑第六版』のほか、『新辞林』（平成11（1999）年）と『大辞林第三版』（同18年）に記載されていたことから、「招福」も早くから普通名称化していたと判断した。

以上の検討の結果、「招福巻は、巻き寿司の一態様を示す商品名として、遅くとも平成17年には普通名称となっていた」と結論した。

なお、田村教授の分析によれば、近年の裁判例の多くが以上の二つの立場のいずれかに立脚しており、そうした立場の違いは辞書における記載の評価にも影響を与えるようである。

つまり、使用状況を重視する立場（大阪地裁）では、多くの人が問題の語をどのように受け止めているかを重視するので、「招福巻」の辞書への記載の有無が大きな意味を持つ。他方、言語構成を重視する立場（大阪高裁）では、言語構成上自然であるか否かが重要であり、「招福」と「巻」がそれぞれ普通名称であることは、その組合せである「招福巻」が普通名称であることの証左となるので、「招福巻」が辞書に記載されていないことは普通名称と判断する障害とはならない。

㈣　さて、「招福巻」の普通名称化を宣言した大阪高裁判決は確定しているが（上告不受理決定平22・10・26）、現時点で今なお「招福巻」は登録商標として存続中である。上述したように確定判決において普通名称化を宣告されても登録商標としての地位を失わないし、商標権が失効するわけでもないからである（加えて現行法上、普通名称化した登録商標の取消制度も存在しない）。

他方、今後において、普通名称から回復（つまり、通常の登録商標に復活）したとの司法判断が下されることも考え難い。たとえば、平成19年10月11日の大阪高裁判決は、昭和49（1974）年3月9日の最高裁判決で普通名称と判断されていた「正露丸」（大幸薬品の登録商標）につき、その普通名称からの回復を否定しているが、その際、極めて厳格な判断基準を示している。

すなわち、普通名称から回復したというためには「社会の人々の認識の転換」を要すと論じ、そうした状況として、「同業他者が消滅し、当該特定の者のみが当該名称を使用して当該商品…を提供するような事態が継続し、あるいは、何らかの事情により当該商品…が一旦、全く提供されなくなり、一時、人々の脳裏から当該名称が消え去った後、当該特定の者が当該名称を自己の…商標として当該商品…の提供を再開するなどの事態」を例示している。

㈤　いずれにしても商標権者としては、普通名称化を回避するため商標管理に万全を期す必要がある。これは、海外でも同様である。

2002年にオーストリア最高裁はソニーの「ウォークマン」が普通名称化したと判示した。首藤佐智子博士の研究によれば、同最高裁は、ソニーが過去数年間に侵害訴訟を提起していたことを認定しつつも、辞書などに「ウォークマン」が記載されたことに対し何ら抗議しなかったことを理由として、普通名称化を肯定したようである。

要するに、上述のように日本においても普通名称化に関しては考え方が収斂《しゅうれん》していないないし（ここで示した論点以外にも、業者の認識と消費者の認識のいずれを重視すべきか、などの問題もある）、おそらく主要国の多くでもこれを阻止するための決定的な手立ては容易には見いだせない。ゆえに、国内外で広告を行い登録商標であることを絶えず主張すること、辞書などの記載状況に目を光らせること、侵害に対しては警告を行い、場合によっては訴訟を辞さないことなど、様々な取組みを地道に続けることが必要であろう。

❾ 商標の使用と、商標的使用――ポパイ・アンダーシャツ事件

(一)　商標権者が苦心して商標登録に至っても、普通名称化してしまえば、登録商標それ自体は無効とはならないが、権利を行使できなくなることは8章で述べた。このように権利行使が制約される商標が、ほかにも商標法26条1項の1号から6号に列挙されている（以下、条文はすべて商標法）。ここでは、1号と6号を見ておこう（普通名称化した商標については同2号で定められている）。

26条1項1号は「自己の氏名若しくは名称を普通に用いられる方法で表示する商標」である。同号により、誰かが自分の氏名・名称と同一・類似の商標を登録してしまっていても、その使用を妨げられない。たとえば、チェコのビール会社がその社名（BUDEJOVICKY BUDVAR）の英訳（BUDWEISER BUDVAR）を自社製ビールに表示し日本に輸出していたことに対し、登録商標「バドワイザー」を有する米ビール大手のアンホイザー・ブッシュ社が商標権侵害として提訴したが、東京地裁は、問題の表示は「自己の名称」の表示に該当すると判示している（平14・10・15）。

次に、26条1項6号は「需要者が何人かの業務に係る商品又は役務であることを認識することができる態様により使用されていない商標」、つまり「商標的使用」がなされていない商標である。

商標法では、商標の「使用」を厳密に定義しており（2条3項1号～10号）、商品・包装に商標を付

す行為や、商標を付した商品を譲渡・展示する行為などがこれに当たるが（サービスの商標については、「提供の用に供する物に商標を付す行為」、たとえばレストランが食器に商標を付す行為など）、形式的に2条3項所定の「使用」に該当しても、自他商品の識別力を発揮する態様で使用されていない場合には本来的な商標の使用とはいえず、「商標的使用」には当たらない。よって26条1項に基づき商標権侵害にもならないことになる。

(二)　「商標的使用」の有無が問われた著名な事件の一つに、ポパイ・アンダーシャツ事件がある。本件では、ポパイの絵柄と「ポパイ」「POPEYE」の文字を組み合わせた登録商標（指定商品は被服など、昭和34（1959）年登録。**図9-1**）の商標権者である大阪三恵社（原告）が、同じくポパイの絵柄と「ポパイ」「POPEYE」の文字を組み合わせて（**図9-2・図9-3**）アンダーシャツの胸部のほとんど全面に大きくプリントして販売していたオックス社（被告）に対し、自己の商標権を侵害するものとして、製造販売の停止を求めて大阪地裁に提訴した。

これに対して、大阪地裁は、原告保有の登録商標と被告の表示との類似性を肯定しつつも、次のように論じて、原告を敗訴させた（昭51・2・24）。

図9-1

図9-2

図9-3

「商標は…自己の営業に係る商品を他の商品と区別するための『目じるし』として、すなわち、自他商品を識別することを直接の目的として商品に附されるものである。」

「〔被告商品の表示は〕もっぱらその表現の装飾的…効果である『面白い感じ』、『楽しい感じ』、『可愛いい感じ』などにひかれてその商品の購買意欲を喚起させることを目的とし…、一般顧客は…右の表示を…商品の製造源あるいは出所を…確認する『目じるし』と判断するとは解せられない。」

要するに、大阪地裁は、本件のような大きなプリントによる表示は単なるデザインないしは模様であり、自他商品の識別という機能を果たしていない。よって、被告の使用態様は「商標的使用」というに値せず、商標権に基づく差止請求権（や損害賠償請求権など）の対象とはならない、と結論した。

なお、被告オックス社はポパイの著作権者（キング・フィーチャーズ・シンジケート社）から、子供用の衣類にポパイの絵柄や名称などを大きくプリントすることにつき、ライセンスを受けていた。しかしながら、著作権者とは別の企業、すなわち原告大阪三恵社が図9-1の商標登録を得て、提訴に及んだという事情が背景にあったことを付言しておく。

(三)　このように「商標的使用」に該当しない使用態様としては、ポパイ・アンダーシャツ事件に代表されるデザイン・模様としての使用のほか、①宣伝文句やキャッチフレーズ、②書籍などの題号、③商品の説明としての使用などがある。

①の宣伝文句やキャッチフレーズが問題となった例として、東京個別指導学院が広告チラシの中で「塾なのに家庭教師」と表記したことにつき、同業他社である名学館の登録商標（図9-4）の商標的使用に当たらず、商標権侵害もないと判断されたことがある（東京地判平22・11・25）。東京地裁は、需要者（生徒と保護者）においては、チラシのその他の箇所の説明文をも目にすることで、問題の表記を宣伝文句として受け止めるであろう、と論じている。一見すると完全なパクリのようではあるが、商標法の考え方では驚くには当たらない。そのほか、コカ・コーラ社が「Coca Cola」に添えて「Always」と表記したことは、「オールウェイズ・コカ・コーラ」というキャッチフレーズのためであるから、登録商標「オールウェイズ」の商標的使用には当たらないと判断された例がある（東京地判平10・7・22）。

図9-4

②の書籍などの題号が問題となった事件として、「朝バナナダイエット」という書籍の題号は、登録商標「朝バナナ」の商標的使用に当たらないと判断された例（東京地判平21・11・12）がある。

③の商品の説明としての使用が問題となった事件として、ブラザー工業製のファックス向けのインクリボンを製造販売していた者が「ブラザー用」「for Brother」と表示したことは、登録商標「ブラザー」「Brother」の商標的使用に当たらないと判断された例がある（東京高判平17・1・13）。

(四)　さて「商標的使用」に当たらない場合には商標権は及ばないとする判断枠組みは、商標法の明文の定めではなく、数多くの裁判例の中で形成され定着した解釈論であったが、平成26（2014）年商標法改正により、「商標的使用」に関する定め（26条1項6号）が新たに設けられた。

同年の商標法改正により、色彩のみから成る商標、音商標などが新たに登録・保護の対象となったため（2条1項）、これまで以上に商標権者が過大な権利主張を行うことが予想されるので、これに対する手当として26条1項6号が設けられたと理解されている。

「商標的使用」に当たらない行為をも権利侵害としてしまえば、商標法は、過度に権利者を保護する弊害をもたらし、一般人から不当に自由を奪うことになる。26条1項6号は、そうした経済活動への過干渉を防ぐために不可欠の役割を担うものといえよう。

最後に、本章ではポパイの絵柄を掲載しているが、これが「商標的使用」に当たらないことはいうまでもない。

10 歴史的人物の名と商標登録——小五郎、龍馬、北斎

㈠　故人や歴史的人物の氏名は、「公の秩序又は善良の風俗を害するおそれがある商標」（商標法4条1項7号。以下、条文はすべて商標法）に該当するものとして、商標登録が否定されることがある。特許庁が公表している『商標審査便覧』によれば、公序良俗違反となるか否かは、

①　その人物の周知・著名性
②　その人物名に対する国民又は地域住民の認識
③　その人物名の利用状況
④　その人物名の利用状況と指定商品・役務との関係
⑤　出願の経緯・目的・理由
⑥　その人物と出願人との関係

を、総合的に勘案して判断される。

この判断基準は平成21（2009）年の『便覧』改訂により導入されたものである。改訂前には、「北条時宗」（同13（2001）年）や「柳生十兵衛」（同19（2007）年）などが登録を認められているが（双方とも図形なし）、『便覧』改訂後は歴史的人物の氏名の商標登録が難しくなっている（ただし、

歴史的人物であってもさほど著名でなければ登録は比較的容易である。同22（２０１０）年に登録を認められた「伊勢《いせ》千子《せんご／せんじ》村正《むらまさ》」、図形なし、など）。

㈡『便覧』改訂後の桂小五郎事件（平22・1・13異議決定）は、標準文字から成る「桂小五郎」の文字商標につき、民間企業が、乳製品、食肉、卵、食用魚介類、冷凍野菜、冷凍果実、肉製品、加工水産物その他多数の食品を指定商品として、平成17（２００５）年に登録出願し、同19（２００７）年に登録されたことが発端であった。

なお、標準文字とは、特許庁長官があらかじめ定めた一定の文字書体である。文字商標は、標準文字でも、筆書風など特別の文字書体でも、いずれも登録可能である。

さて、この登録を不満とした山口県萩市による登録異議申立て（11章参照）に対して、特許庁における審理では、上述の①から⑥のそれぞれにつきおおむね次のように判断された。

①②について、桂小五郎は維新三傑の一人であり、数多くの書籍で取り上げられ、また様々なモニュメントがあることから、①著名で、②人々から敬愛されていることが容易に肯定された。

③については、桂小五郎の名の下に、他の組織や団体による観光振興や地域おこしに役立てようとする取組みがなされていることが認定され、④については、桂小五郎の名称は、山口県の他の水産業者などによって使用される可能性が極めて高いものであることが認められた。

⑤については確認できないとされ、⑥についても、出願人と桂小五郎との関係は確認できないとされ

た。ただし、桂小五郎の子孫からの上申書に、「桂小五郎の名称が同人とはゆかりのない事業者に商標として登録され、独占排他的に使用されることは、同人の名誉・名声を傷つけるだけでなく、遺族としても極めて遺憾であり、公正な取引を阻害することと感じている」旨記載されていることが認定された。

そして結論として、登録を認めることは、桂小五郎の名称を用いた、他の組織による観光振興や地域おこしなどの公益的な施策の遂行を阻害することとなり、社会公共の利益に反するので4条1項7号に該当する、として登録取消しが決定された。

㈢　桂小五郎事件以降も、①坂本龍馬（平24・1・5審決）、②北斎（平24・5・9審決）、③平清盛（平25・1・8審決）、④菅原道真（平26・4・30審決）そのほか多数が相次いで登録を拒絶され、また、拒絶を不服として出願人が請求した拒絶査定不服審判においても、拒絶が支持されている。

これらの事件は、①の龍馬（**図10−1**）と②の北斎（**図10−2**）にあっては商標が図形入りであること、③の清盛にあっては商標が「時代の開拓者」と「平清盛」を縦に併記されるものであること、④の道真は人名のみから成ること、といった相違がある。また、出願人については、龍馬が自治体（高知県）、北斎と清盛が民間企業、道真が宗教法人（福岡県の太宰府天満宮）であるといった相違があるが、桂小五郎事件と同じく、『便覧』が示す論理に基づいて登録が否定されている。龍馬は自治体による公益目

図10－1

図10－2

的に基づく出願であるが、他の組織による公益的な施策を困難にするおそれがあることが問題視された。

㈣　他方で、こうした特許庁の厳格な判断とは方向性を異にする司法判断もある。平成21（2009）年の『便覧』改訂以後では初の司法判断で、②北斎の審決の取消訴訟において、拒絶審決を覆し、北斎の商標は4条1項7号には該当しないと結論した知財高裁判決（平24・11・7）である。同判決の内容はおおむね次のとおりである。

原告の出願人は、特許庁における審判段階で次のように述べている。出願した商標は、標準文字ではなく筆書風の特殊な文字＋図形から成っており、その効力は通常の文字商標には及ばないことを「自覚し…宣言する」、と。そのように述べた以上は、北斎という「漢字文字のみからなる商標に」対して商標権を行使することは、「信義誠実の原則に反し許されない」。そうであるならば、商標権を行使できるとしても、その対象は、筆書風の文字＋本件図形から成る構成に限定されるので、地域おこしなどの公益的事業の遂行に生じる支障は限定的なものにとどまる。また、そうした「事業の遂行を阻害する目的など、何らかの不正の目的があるものと認めるに足りる証拠はない」。

㈤　この判決に対しては批判もある。たとえば山田威一郎弁護士は、「本判決の考え方によると、歴史上の人物名に係る商標に関しては、何らかの図形を結合し、かつ、権利化の過程で人物名の部分に権利を求めない旨の陳述をすれば、ほぼ自動的に商標登録が認められることになりかねないが、そのような解釈を一般化すると、歴史上の人物名と図形を結合した商標が多数併存登録することになってしまう」と論じている〔山田１４７８ページ〕。

㈥　北斎ファンである私としては、北斎という日本人にとって大切な名称の商標登録を簡単には許してほしくないと思うし、また、登録された以上は、商標権者が北斎への敬意を持って商標を使用することを望みたい。しかし、そうした思いは北斎にとってはおせっかいでしかないのかもしれない。

葛飾北斎は生涯に30回も画名を変えており、自身の画名を門人に譲ることも度々であった。明治期の美術史家である飯島虚心の研究によれば、興味深いことに、「北斎の名…婦女子といえども知らざるものなし」と評されるほどの大家になった後にも改名し、「画狂老人　卍」と名乗り、「人皆前《まえ》の北斎なることを知らずして、大《おお》いに怪しみたり」という有様であったという〔飯島１３８～１３９ページ〕。そうしたことを思えば、北斎は名前にこだわらないおおらかな人であり、案外、望む者には使わせてやれと泉下で事もなげに語っているかもしれない。

11 商標と公序良俗——仏陀、漢検

㈠ 民法と同じく、商標法における公序良俗概念はかなり広く、「公の秩序又は善良の風俗を害するおそれがある商標」（商標法4条1項7号。以下、条文はすべて商標法）に該当するものとして、様々なタイプの商標が、登録を拒絶されたり無効とされる。

特許庁は、これまでの裁判例や審決例を参考に、公序良俗に違反する商標を類型化しており、まず、『商標審査基準』の中でこれに当たる場合として、五つのタイプを例示している。

① 「商標の構成自体が非道徳的、卑わい、差別的」であるなどの場合

② 商標の構成自体が①でなくとも、その使用が「社会公共の利益に反し、社会の一般的道徳観念に反する」場合

③ 「他の法律によって、当該商標の使用等が禁止されている」場合

④ 「特定の国若しくはその国民を侮辱し、又は一般に国際信義に反する」場合

⑤ 「商標の出願の経緯に社会的相当性を欠くものがある等、登録を認めることが商標法の予定する秩序に反する」場合

さらに、この『基準』を受けた『商標審査便覧』において、問題となることが多い10のタイプの商標

につき、より詳細な審査基準を示している。

例えば、「国家資格を表す又は国家資格等と誤認を生ずるおそれのある商標」は非常にわかりやすい。これまでの例では、「特許管理士」（東京高判平11・11・30）や「特許理工学博士」（最判昭57・4・13）などの商標が、それぞれ、弁理士や工学博士などと紛らわしいものとして、4条1項7号違反と判断されている。

他方、「お風呂の美容士」、「梅博士」、「おむつ博士」、「手打うどん博士」などは、同号違反に当たらないと判断されている。これらの判断に対しては、あまり異論はないのではないか。

(二)　しかしながら、『基準』と『便覧』の分類の大半は客観的な判断が容易ではなく、議論を呼びそうな判断例も散見される。幾つか判断例を見てみたい。

前掲①は、公序良俗違反の典型というべきものであるが、これに該当するものとして、次のように、「ごまの蠅」という文字商標（指定商品は、菓子とパンの類）を公序良俗違反とした特許庁の審決がある（昭31・10・9）。

曰く、「ごまの蠅」はスリや詐欺などを意味し、このような悪徳を嫌悪する社会感情こそ善良の風俗の根源を成す。これを商標として使用し、その商品が世上に流布するときは単なる滑稽の度を超え、不徳漢を礼賛し、善良の社会感情を嘲弄《ちょうろう》する如《ご》き印象を与え、道義上社会に悪影響を及ぼすおそれがあると認めざるを得ない、と。

同じく、「Old Smuggler」という文字商標（指定商品はウイスキー）を公序良俗違反とした審決がある（昭32・4・10）。

曰く、「Smuggler」は、密輸者や酒類密造者といった意味を有することは辞書を見れば明瞭である。そして、Smugglerに相当する者は、わが国では犯罪者として取り扱わなければならないことは明らかである。したがって、この用語は公の秩序を乱すおそれのあるいかがわしいものであると判断せざるを得ない、と。

双方とも、反社会的な行為の隠語を冗談めかして商標にすることへの拒否感が見て取れる判断であり、国家社会への強い責任感を感じさせるが、この程度ならば許容範囲内と見る向きもあるのではないか。

㈢　対照的に、かなり寛大な判断もある。たとえば、「ALUCHUWHISKY」という文字商標（指定商品はおもちゃなど）につき、仮に「ALUCHU」の文字から「アル中」を連想させるとしても、これが教育上または道徳上多大な悪影響を及ぼし、ひいては善良な風俗を害し、法の秩序と権威を乱し、公の秩序を乱すおそれがあるといえるほどいかがわしいとは認められない、とした審決がある（昭50・7・15）。

そのほかに、②に該当するか否かが問われた事例であるが、聖母マリアの図から成る商標につき、公序良俗違反に当たらない、と判断した審決もある（昭34・2・6）。

曰く、敬虔《けいけん》なキリスト教信者の一部には聖母像を食品の商標として使用することに対し不快感を持つ者が存することは認め得るとしても、キリスト教の信仰心や教義が一般国民の道徳感を構成しているとは認め難いところであるから、聖母像を表した商標を食品の類いに使用しても、国民一般の道徳感ないしは社会的良心を害するおそれがあるとは認められないし、わが国はキリスト教を国教とするものではないから、公の秩序に反するおそれも認められない、と。

このようにキリスト教に対しては冷淡で、よくいえば宗教に対して進歩的とも思える判断が下されているが、仏教に対しては実に対照的な判断が示されたことがある。すなわち、「Buddha」と「仏陀」の文字を上下二段に書して成る商標（指定商品は、かばん類や袋物など）につき、特許庁審決（平18・11・27）は、「仏陀」は、仏教信者にとってはかけがえのない信仰のよりどころであるから、その指定商品に使用するときには、仏陀の尊厳と信者の信仰上の感情を害し、ひいては公序良俗を害するおそれがある、と結論した。

至当な判断と思われるが、宗教を一つの原因とする世界各地の紛争に鑑みれば、仏教に限らず、その他の宗教を商標として用いることに対しても慎重であるべきと考える。また、そもそも海外の人々に対しても礼節が必要である。こうした見地から、しばしば次の④のカテゴリーに属するとして公序良俗違反と判断される商標がある。

㈣　④に該当する商標としては、「征露丸」が有名である。この判断は古く大正時代の大審院判決によるものである（大15・6・28）。

曰く、「征露丸」という名称は「露国を征伐する」との意味であり、今日でもこれを商標として商品に使用すれば国際の通義に反し、秩序を乱すものといわなければならない。ゆえに日露戦争後20余年を経過したという事実によってもこの商標が秩序を乱さないものとなったとすることはできない、と。

日本の商標制度が、大正時代にすでにこのような高い見識に基づき運用されていたことは注目に値する。近年、国際信義に反すると判断された商標としては、「プリンスエドワード」（平9・4・25審決）、「李氏朝鮮」（平13・8・29審決）などが有名である。

(五) 以上、公序良俗違反の有無の判断にはしばしば十分な一貫性がないようにも見えるが、この種の判断は時代ごとの価値観に左右されざるを得ないし、されてよい。事実、上記「Buddha」「仏陀」の商標に対する判断において特許庁は次のように論じている。

公序良俗違反の有無は、特許庁の査定や審決時点での社会通念に基づき判断すべきところ、社会通念は時代と共に変化するものでもあるから、過去に登録されたものが常に公序良俗を害するおそれがないとはいい得ない、と。

やや無責任なことをいっているようにも思われるが、ひとたび問題なしとして登録された商標であっても、事後的に第三者の無効審判請求（46条）により無効とすることができるので、大きな問題はない（そのほか、商標法43条の2に定められている異議申立てによる取消しという制度もある。異議申立ては商標掲載公報発行日から2か月以内に何人も申立可、原則書面審理。無効審判は後述のように無期限に／登録から5年以内に利害関係人のみ請求可、原則口頭審理。26章参照)。

なお、商標登録の無効理由は複数あるが、次の三つに大別できる。

① 登録から5年間に限って無効審判の請求が可能で(5年の除斥期間)、登録時に存在した事情のみが無効理由となるもの。他人の先行登録商標と同一・類似の商標(4条1項11号)など

② 除斥期間はなく、登録時に存在した事情のみが無効理由となるもの。市章や自治体のマークと同一・類似の商標(同6号)など

③ 除斥期間はなく、登録後に生じた事情も無効理由となるもの。公序良俗違反(同7号)がこれに当たる。

①と②では、特許庁の審査官が本来登録してはならなかった商標につき誤って登録を許してしまった場合に、無効とされる。③では、登録の際には商標法上の問題はなかったが、登録後に商標法上の問題が発生した場合にも無効とできる。

(六) 「登録後の事情」により公序良俗違反となったと判断された商標の例として、「漢検」や「日本漢字能力検定協会」がある。

これらの商標をめぐる紛争は、日本漢字能力検定協会(漢検協会)の元理事長X氏が設立した会社(オーク社)が、「漢検」・「日本漢字能力検定協会」などの商標登録(指定役務は、技芸・スポーツまた

は知識の教授）を得ていたため、漢検協会が無効審判を請求したことが直接の発端である。

X氏は、昭和46（1971）年にオーク社を設立し、漢字教育に特化した塾を経営していたところ、塾で行っていた漢字テストが評判を呼び、同50（1975）年ごろには「日本漢字能力検定」を塾内外で実施するようになった。その後、平成6（1994）年に、X氏の主導により公益法人として漢検協会が設立され、X氏は初代理事長となった（平成21（2009）年まで在職）。そしてX氏は、漢検協会設立から平成12（2000）年にかけて、上記商標につき、漢検協会理事会の承認を得ることなく、オーク社名義で登録を出願し、同社が商標権者となっていた。

さて、無効審判の結果、審決は、登録時には公序良俗違反はなかったが、「登録後の事情」の変化により、4条1項7号違反が生じたと結論。知財高裁も審決を支持した（平24・11・15）。同高裁が重視した「登録後の事情」とは、主に、以下のとおりである。
○X氏が、漢検協会のために何ら業務を行っていない自身の関係企業に調査研究費などと称して、3年以上の期間にわたり、計2億8600万円余りを漢検協会から支出させていたことにつき、漢検協会への背任の容疑で起訴されたこと（京都地裁／平24・2・29で懲役2年6か月の有罪判決）。また、関係企業との間で利益相反取引を行ったとして漢検協会から損害賠償を請求されたこと
○その後に、親密な関係者に一時的に商標の登録名義を移したこと
○漢検協会からの商標の権利取得・維持の実費相当額での譲渡申入れを拒否し続けたこと

こうした事情を踏まえ、知財高裁は、オーク社が「漢検」や「日本漢字能力検定協会」などの商標を使用することは、商標権者の信用や需要者の利益保護という商標法の目的に反して自らの保身を図るものに過ぎず、社会公共の利益を害する、と結論した。

なお、本件の登録出願はいわゆる「悪意ある出願」として、冒頭の⑤に属するものと考えられるが、こうした法適用に対しては、公序良俗概念を拡大し過ぎであるとの批判も多い。

12 商標と著作権の衝突
——キューピー事件とポパイ・マフラー事件

㈠　特許庁の『商標審査基準』によれば「他の法律によって、当該商標の使用等が禁止されている場合」は、「公の秩序又は善良の風俗を害するおそれがある」（商標法4条1項7号。以下、特に断らない場合には条文はすべて商標法）と判断され得る。そして、ここにいう「他の法律」に著作権法も含まれるのであれば、他人の著作権に抵触する場合には、公序良俗違反として、商標の登録は拒絶・無効とされ得るし、そうした審決例もある（ポパイ図形事件。平7・1・24）。

しかしながら、裁判例の多くはこの点につき否定的な態度を示している。たとえば、キューピーマヨネーズで有名なキューピー社が有する、キューピー人形の図形から成る登録商標（指定商品は、調味料・香辛料など。**図12-1**）につき、東京高裁は公序良俗違反に該当しないと判決している（平13・5・30）。

本件は、キューピー人形の著作権者（キューピー人形の著作者ローズ・オニールの遺産管理財団から、平成10年に著作権を承継した者）が、図12-1の商標の登録無効を求めて無効審判を請求したことが発端である。特許庁の審決（平12・8・29

図12－1

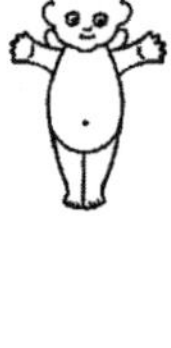

審決）はこの主張を退けたため、著作権者は審決取消訴訟を提起したが、東京高裁は、「他人の著作権と抵触する商標であっても、商標法4条1項7号に規定する商標に当たらない」と判決し、審決の判断を維持した。

そのほかにも、やや古い審決例ではあるが、日本企業が保有していたミッキーマウスの図形と「MICKEY MOUSE」の文字から成る登録商標（指定商品は、鉛筆など）につき、特許庁は公序良俗違反に該当しないと審決している（昭35・4・25）。本件で、ミッキーマウスの著作権者たるウォルト・ディズニー・プロダクションズは、問題の商標登録は公序良俗に違反し無効であると主張したが、特許庁は、商標の使用が著作権と抵触するとしても、「これのみをもって本件登録商標の使用がその登録を無効にする程度にまで公の秩序または善良なる風俗をみだすおそれがあるものとは認められない」と結論した。

こうした判断の主な理由は、キューピー事件で東京高裁も述べているが、特許庁の審査官が出願された商標と先行著作権との抵触の状況を調査することは大きな困難を伴うことである。すなわち、著作権は、商標権などと異なり、特許庁その他の官庁における出願や登録を要さず、創作によって直ちに生ずるから、著作物は世の中に無数に存在し、それゆえ特許庁の保有する公報等の資料により審査官が先行著作物を調査することは極めて難しい。そして、審査官にそうした調査をさせることとは特許庁の事務処理の妨げとなるため、4条1項7号が、審査官にこのような調査等の義務を課しているとは解し難いのである。

㈡　いずれにしても、商標登録の審査の実務では、著作権との抵触の有無は確認しないようである。また、商標法には、先行する著作権と抵触する商標につき、その登録を禁止・無効とする明文の定めはない。よって、公序良俗違反と判断されるような場合を別とすれば、たとえ先行する他人の著作物と同一・類似の商標であっても、適法に商標登録されることになる。

ただし、商標法には、先行する著作権と抵触する登録商標につき、その「使用」を制限する定めはある。すなわち、「商標権者、専用使用権者又は通常使用権者は、指定商品又は指定役務についての登録商標の使用が…その商標登録出願の日前に生じた他人の著作権…と抵触するときは…登録商標の使用をすることができない」（29条）。

つまり、先行する他人の著作権と抵触する商標の登録を得ることができても、29条により、商標権者はその登録商標を使用できない。よって、その商標権者が登録商標の使用を望む場合には、著作権者の許諾（ライセンス）を受けなければならない。たとえば、キューピーの著作権切れは平成17（2005）年だったので、それまでの間は、キユーピー社は著作権者からのライセンスを受けなければ、登録商標（図12-1）を用いることができない状況にあった（両者のライセンス交渉の有無や内容については詳《つまび》らかでない）。

そして明文の定めはないが、このような場合、商標権者は登録商標を自ら使用できないだけではなく、他者による登録商標の使用を阻止することもできないと考えられている。

たとえば、ポパイ・マフラー事件では、ポパイの図形と「POPEYE」「ポパイ」の文字との組み合わせから成る登録商標（指定商品は被服など。**図12-2**）を日本において有する者が、マフラーの販売業者に対して昭和58（1983）年に商標権侵害を理由に、差止めと損害賠償を求めて提訴した。マフラーの販売業者は、ポパイの著作権者である米国キング・フィーチャーズ社からライセンスを受けてポパイの図形（**図12-3**）を用いていた。大阪高裁は、出願前に成立していた著作権と登録商標が抵触する場合には、商標権者は著作権者（および著作権者からライセンスを受けた者）に対して、使用差止めを請求することはできない、と判示している（昭60・9・26）。なお、ポパイの著作権は1929年（昭和4年）に米国の「Thimble Theater／シンブル・シアター」という漫画作品によって発生。図12-2の商標は昭和33（1958）年に出願、同34（1959）年に登録されている。このため、本件の商標権者は、マフラーの販売業者の使用を止めることはできなかった。

図12-2

図12-3

図12-4

(三)　以上をまとめていうと、近年の裁判例によれば、他人の先行する著作権と抵触する商標であるからといって直ちに公序良俗に違反することにはならず、登録を拒絶・無効とされることもない。

そのため、商標法は商標登録の出願につき早い者勝ちを許していることになり、一見、著作権者には気の毒なようであるが、29条の定めで使用が制限されるため、実質的には著作権者の利益が優先されていると見てよい。つまり、商標登録によって他人の著作権を乗っ取ることはできないということである。

ところで、29条の適用のためには著作権との抵触が要件となるが、ポパイ・マフラー事件において、大阪高裁は、マフラーの販売業者が用いていたロゴマーク（図12-4）については「著作物」に当たらないと判断された（著作物でなければ著作権の対象たり得ない）。それゆえ、同高裁は図12-4のロゴマークの使用については、29条を適用せず、商標権侵害を認定し、マフラー業者に対し、ロゴマークについて使用差止めと損害賠償を命じた（なお、図12-3は著作物と認められた）。

ロゴマークのような特殊な装飾文字を含めて、原則として、文字それ自体は「表現」ではないため「著作物」に該当しない（著作権法2条1項1号「著作物　思想又は感情を創作的に表現したものであつて、文芸、学術、美術又は音楽の範囲に属するものをいう。」）。よって、図形商標などは著作権と抵触することがあるとしても、文字商標はそうした問題とはほぼ無縁であろう。

⑬ 写真の著作権

㈠ 著作権は、著作物に対する権利である。よって、著作物でないものには著作権はない。そのため、「著作物であるか否か」がしばしば問題となる。

前章で確認したように、たとえば文字それ自体は、ロゴマークなども含めて、著作物には該当しない。それでは著作物とはどのようなものであるかといえば、著作権法10条（以下、条文はすべて著作権法）でその例が示されている。同条の定めは次のとおりである。

「この法律にいう著作物を例示すると、おおむね次のとおりである。

一 小説、脚本、論文、講演その他の言語の著作物

二 音楽の著作物

三 舞踊又は無言劇の著作物

四 絵画、版画、彫刻その他の美術の著作物

五 建築の著作物

六 地図又は学術的な性質を有する図面、図表、模型その他の図形の著作物

七　映画の著作物
八　写真の著作物
九　プログラムの著作物」

一見して明らかなように、著作物の範囲は極めて広い。小説や音楽のように一般に芸術と評価されているもののみならず、写真やプログラムのように実用的な性格が強いものをも含んでおり、人間の精神の営みのほとんどをカバーしているようである。

ただし、以上のいずれかに該当するからといって直ちに著作物に該当するわけではない。前章で見たように、著作権法において、著作物は、「思想又は感情を創作的に表現したものであつて、文芸、学術、美術又は音楽の範囲に属するもの」（2条1項1号）と定義されているからである。

(二)　この定義規定から導かれる要件は四つ。①思想・感情を含むこと、②思想・感情の表現であること、③創作的であること（創作性）、④文芸・学術・美術・音楽の範囲に属すること。

まず、④から述べると、この要件は、主に工業製品を著作物から除外することを趣旨とするというのが通説・判例の見方である。よって、たとえばスマホのデザインなどは著作物たり得ないことになる。また、この要件は、特許法などのほかの知的財産法との棲《す》み分けを図ることを主要な役割とするものであるから、文芸・学術・美術・音楽という四つの分野を厳密に区別する必要はないと考えられている。

次に、①の要件により、何らかの意味で人の精神的活動の所産であることが求められる。それゆえ、自然物（石など）や、単なる事実（各種データ、自然科学的事実や歴史的出来事など）などは著作物に当たらない。たとえば、自動車部品メーカーの会社名や、納入先の自動車メーカー別の自動車部品の調達量・納入量・シェア割合などのデータは、「客観的な事実ないし事象そのもの」であり著作物に値しないとした裁判例がある（名古屋地判平12・10・18）。

②の要件からは、思想・感情（アイデア）それ自体は著作物とはならず、その具体的表現のみが著作物となる。たとえば、法律学者の新しい法解釈がいかに斬新なものであったとしてもそれ自体は著作物とはならず、その法解釈に基づいて執筆された著書や論文のみが著作物となる。絵画における画法、書道における書風なども著作物にはならない。

最後に、③の要件により、何らかの意味で創作者の個性が表れていることが求められる。ただし個性といっても、格別に独創的であったり高尚であったりする必要はないと考えられている。しかしながら、ごく単純な挨拶文のような、ありきたりの表現でしかないものは創作性を認められない。

㈢　③の創作性の有無が問題となることが多いものの一つが、10条8号の「写真の著作物」である。一口に写真といっても、プロの写真家の撮影する写真とアマチュアの写真、高級カメラで撮影する写真とスマホの写真、いわゆる芸術性の高い写真とそうでない写真など様々あるため、著作物性があるかないかの線引きが難しい。近年、この微妙な線引きがスメルゲット事件において問題となった。

本件で問題となったのは、商品紹介用写真である。この写真は横浜市の通信販売業者であるラフィーネ社が、シックハウス症候群対策品「スメルゲット」（一種の脱臭剤）を販売するために、自社のホームページ上に自ら撮影したスメルゲットの写真を掲載していた。この写真を同業他社がラフィーネ社に無断で自社のホームページに掲載したことが発端である。

ラフィーネ社から営業権の譲渡を受けたトライアル社は、同業他社による無断利用が、著作権の侵害に当たるとして提訴。同業他社は、写真の無断使用の事実については争わなかったものの、問題の写真は著作物には当たらないと主張した。

横浜地裁は、問題の写真は商品を正面から写しただけの平凡なもので創作性がないから著作物ではないと論じ、結論として、トライアル社を敗訴させた（平17・5・17）。しかしながら、トライアル社による控訴を受けた知財高裁は、写真に著作物性ありと判断し、トライアル社を逆転勝訴させた（平18・3・29）。

㈣　問題の写真の特徴は、知財高裁のいうところによれば、次のとおりである。「商品を大小サイズ一個ずつ横に並べ」、「ラベルが若干内向きとなるよう配置」、「正面斜め上から撮影」、「光線は右斜め上から照射」、「左下方向に短い影」、「背景は薄いブルー」。

以上の特徴を分析した上で、同高裁は、「被写体の組合せ・配置、構図・カメラアングル、光線・陰影、背景等にそれなりの独自性が表れているのであるから、創作性の存在を肯定することができ、著作物性はある」と結論した。

ただし、同高裁は同時に、「写真として平凡な印象を与えるものであるとの見方もある」ともいっている。そして、「創作性の程度は極めて低いものであって、著作物性を肯定し得る限界事例に近いものといわざるを得ない」といい添えている。

写真の撮影者である松本肇氏（撮影当時ラフィーネ社の取締役で、提訴時にトライアル社の代表。問題の写真は、巻末の松本氏の著書に掲載されている）は、その著書の中で「商品の見栄えが良くなるように、光量や商品の配置をよく考えて撮影した」と語っている。それだけに、「創作性の程度は極めて低い」、といった評価は不満かもしれない。松本氏はまた、本件写真撮影のためにかなりの設備投資（オリンパス社製のカメラやアドビ社製の画像処理ソフトを購入）に加えて、撮影技術の習得にかなりの時間を要したことを力説している。

こうした苦心があったからこそ、相手方からの数度にわたる和解交渉をはねつけて、「日本中のホームページデザイナーを代表するつもりで」情熱を持って訴訟に臨み（松本44ページ）、勝訴判決を勝ち取ることができたのであろう。しかしながら、設備投資の額や、撮影における苦心の有無・程度は、創作性有無の判断に直接には関係しない。著作権法の考え方では、ずぶの素人が安物のカメラで軽い気持ちで撮った写真でも、何らかの独自性があれば創作性ありと評価され得る。

⑭ 出版と写真をめぐる権利の歴史――江戸時代から昭和まで

㈠ 今日では、写真が小説や絵画などの他の著作物と同等の保護を受けることに疑問の余地はないが、そのようになったのは近年のことである。以下では、江戸時代以降の関連する法令の歴史をたどりながら、写真の扱いの変遷を概観してみたい（以下、明治時代の法令につき片仮名を平仮名に変更）。

㈡ 市古夏生お茶の水大学名誉教授の研究によれば、江戸時代の最初の100年程度は書物の出版は、関係者の権利などはあまり意識されることがなく、比較的自由に行われていたため、いわゆる重版行為は日常茶飯事であったが、元禄7（1694）年に出版業者間で本屋仲間が結成されて以来、全国的に重版行為が禁止されるようになったという（書物を出版した出版業者に独占的に出版する権利が生じ、他の業者は同じ書物を出版できなくなった）。

なお、著作者は、執筆に対する報酬を得ていたほかは、格別の権利は認められていなかったようである。たとえば滝沢馬琴は、自身の著作の版木が一部焼失した後、ある出版業者が馬琴に断らずに焼失した箇所の画・文を新たにして再刊を行ったことに対して、不満を抱きつつも、結局なすすべはなく、自身の著作が事前の通告なく歌舞伎や浄瑠璃に用いられることに対しても、批判することはなかった（むしろ名誉とした）とのことである。

㈢　明治における出版や著作物に関する本格的な法令は明治2（1869）年の「出版条例」に始まる。この条例には「図書を出版するものは官よりこれを保護して専売の利を収めしむ」（3項）という定めがあるが、これは江戸時代と同様に出版業者を保護するものであり、著作者の権利を定めたものではない。なお、保護期間は、原則として著作者の生存中であるが、親族がこの権利を希望する場合は許可することもあることを定めている。

そのほか、この法令は、図書を出版する者は、出版に先立ち「免許」を受けるべきことが定められていた。この点も江戸時代の法令と同じ考え方といえそうである（江戸時代は、出版物規制のために多くの法令が制定されており、出版はいわゆる許可制であった）。

㈣　出版や著作物に関して様相が変わったのは、専売の権利に「版権」という名を与えた明治8年の出版条例改正からである。

まず、出版それ自体については、山本信男氏（早稲田大学図書館）の研究によれば、事前の届出を条件として、何人も自由に出版することが認められた。

ただし、すべての著作・翻訳に版権が付与されるわけではなく、版権を望む者は免許を受ける必要があった。版権の帰属については、「図書を著作し、又は外国の図書を翻訳して出版するときは30年間専売の権を与ふべし」（2条）と定められているばかりで条文上は明快ではない。この点については、浅岡邦雄中京大学教授によれば、出版業者が主な帰属先として想定されていたが、著作者に版権が帰属する例もあったようである。

加えて、「他人の著訳書を出版する者は必ず著訳者の承認を得べし　其の版権願書若くは出版届書には必ず著訳者と連印すべし」（14条）として、著作者の権利への明文の言及もあった。

㈤　かくして、明治8（1875）年の出版条例において権利を保護されるのは出版業者のほか、書籍の著者と翻訳者のみであった。また、同条例では、写真は保護対象ではなかった。

これを不満とした当時の写真家、松崎晋二は、政府に対して明治9（1876）年2月に写真版権の創設を陳情した。松崎は、同7（1874）年に台湾出兵に従軍、同8年に領土画定のための小笠原諸島の調査に同行するなど、写真家として華々しい経歴を持っていたため政府要人から信頼を得ていたようであり、陳情の4か月後の同9年6月には写真条例が制定された。同条例は、「凡《およ》そ人物山水その他の諸物象を写して専売を願ひ出る者は五年間専売の権を与ふべし　之を写真版権と称す」（1条）として、写真につき5年間の専売の権利を認めた。

㈥　さて、明治20（1887）年には出版条例から版権に関する定めが分離され、新たに「版権条例」が制定された（版権条例は明治26（1893）年に改正され「版権法」となった）。また、明治20年には、写真条例に代わるものとして「写真版権条例」が制定され、その他「脚本楽譜条例」が制定された。

版権条例では、「版権は著作者に属し、著作者死亡後に在りては其の相続者に属」すものとされ（7

条）、原則として「版権保護の年限は著作者の終身に五年を加えたるものとす」（10条）とされた。なお、版権を望む者は登録を受ける必要があった（登録制）。また写真版権条例では、保護期間は10年とされた。

その後、明治32（１８９９）年に、版権法、写真版権条例および脚本楽譜条例が廃止され、これらを統合するものとして「著作権法」が制定された。いわゆる旧著作権法の誕生である。旧著作権法は、版権を著作権と改称したほか、著作者の権利として専売のみならず複製・映画化・録音などの権利を保護すること、これまでの個別的な法令とは異なり一切の著作物を包括的に保護対象とすること、いわゆる無方式主義を採用し免許や届出の類いを不要とすることなど、現代的な性格が濃厚な法律であった。制定の背景には、不平等条約改正のためには、１８８６（明治19）年の「文学的及び美術的著作物の保護に関するベルヌ条約」（ベルヌ条約）に加盟し、近代的な著作権法を日本において導入する必要があるという判断があった。

(七)　さて旧著作権法では、著作物の保護期間は原則、著作者の死後30年であったが、写真に限っては公表後10年とされた。

また、昭和45（１９７０）年に制定された現行著作権法では、平成30年の改正により著作物の存続期間は原則として著作者の死後70年となっているが（51条２項）、それ以前は、原則として著作者の死後50年であった。平成８（１９９６）年の改正により、写真の保護期間も他の著作物と同じとなったが、それまでは公表後50年であった。

このように写真に関しては当初から差別的な取扱いが行われていたが、酒井麻千子東京大学准教授によれば、旧著作権法制定時に、他の著作物とは違い大きな精神的労力を必要としないと考えられたことがその理由である。旧著作権法制定時に松崎晋二が存命であったとすれば（没年は不明）、写真版権の陳情に際して、「命がけの骨を折って取り来りたる写真を、わずかに一枚や二枚、売り出すやいなや、たちまち都下に臥遊《ねころび》いたる懶惰《らんだ》写真家に複写せられては」割に合わないと嘆いていた彼のことであるから〔倉田32ページ〕、このような二流芸術であるといわんばかりの取扱いにはさぞかし不満であったのではあるまいか。

⑮ 不平等条約改正と著作権法制定

㈠　旧著作権法は明治32（1899）年に制定された。日本の法令としては、著作権に関する初めての近代的な法令であり、昭和46（1971）年に現行著作権法（旧著作権法を全面改正するものとして昭和45（1970）年に制定）が発効するまで施行されていた。

前章で述べたように、日本が著作権法の制定に動いたのは、1886（明治19）年制定のベルヌ条約に加盟するためである。そして、ベルヌ条約への加盟は、日本が幕末に締結した不平等条約を改正することを目的としていた。

㈡　周知のように、不平等条約の改正の第一歩となったのは1894（明治27）年の日英通商航海条約（以下、日英条約）である。同条約は、領事裁判権を撤廃し、関税自主権を一部回復する画期的な条約であったが、その議定書に次のような一節があった（第3款）。

日本国政府は、日本国に於ける大不利顛《ブリテン》国領事裁判権の廃止に先立ち、…版権の保護に関する列国同盟条約に加入すべきことを約す（傍点筆者）。

ここにいう「版権の保護に関する列国同盟条約」とは、ベルヌ条約のことである。つまり英国は、ベルヌ条約への加盟を領事裁判権撤廃の条件とした。

そして日英条約の発効は、調印の日である明治27年7月16日から5年後以降とされたため(21条、「本条約は調印の日より少くも5箇年の後迄は実施せられざるものとす」)、日本はこの期日までにベルヌ条約への加盟を目指すことになった。そのために著作権法を定める必要が生じたわけであるが、立法化の準備に時間を要したゆえか、制定に向けた国会審議が始まったのは、日英条約調印から5年目の明治32年のことであった。

すなわち、同年の1月13日に第13回帝国議会に著作権法案を政府提出。貴族院にて2月7日に修正可決。衆議院可決は2月22日。3月4日公布を経て、7月15日には大慌てで施行に漕《こ》ぎ着けた。なお、4月18日に日本はベルヌ条約に加盟し(公布は7月13日)、7月17日に日英条約が無事発効した。

㈢ ところで、ベルヌ条約は著作権に関する最も古い条約であり、かつ、最も基本的な条約の一つである。制定の経緯は、宮澤溥明氏の研究に詳しいが、制定に向けた動きはフランスから始まった。フランスは、日本が著作権法を制定する約１００年前に、著作者の権利について定めた法令（１７９１年法と１７９３年法）を持っていた。

そのフランスは19世紀の半ばになると、自国の著作者の権利を保護するために、諸外国との間の二国間協定の締結に乗り出した。結果、１８４３年から１８７８年の間に、46か国との間で55もの協定を締結したが、一つひとつの協定の内容はそれぞれに異なるため、全体として複雑極まりないものになってしまった上、ほとんどの場合フランスの著作者は、相手国においてフランス法上の保護よりもはるかに低い水準の保護しか得られなかった。

こうした状況の中、１８７８年にビクトル・ユーゴーが会長を務めるフランス文芸家協会の発意で国際文芸協会が設立され、国際文芸協会は著作者の権利保護のための多国間条約の締結をめざし運動を開始した。

国際文芸協会からの依頼を受けたスイス政府は、１８８３年に各国に対し、著作者の権利保護のための国際会議の開催を呼びかけた。こうして、翌年９月にスイスのベルヌにおいて、スイスを含む16か国による国際会議（ベルヌ会議）が始まった（この時点で日本は不参加）。やがてその努力が実り、１８８６（明治19）年９月６日から９日に、13か国（アイルランド、日本、米国、イタリア、ハイチ、リベリア、英国、スイス、スペイン、チュニジア、ドイツ、フランス、ベルギー）が討議し、９月９日にアイルランド・日本・米国を除く10か国が調印した。その後、ハイチ・リベリアを除く調印国による批准を経て、ベルヌ条約は翌年12月７日に発効した（原条約）。１８９６（明治29）年には一度目の改正が行われた（１８９６年条約）。日本が加盟したのは１８９６年条約である。

㈣　ちなみに、日本政府の幹部は当初はベルヌ条約加盟に対して消極的であった。山田奨治博士の研究によると、ベルヌ会議が始まる前の明治17（１８８４）年２月に条約への加盟の照会がスイス総領事から伊藤博文外務卿代理に届いたが、伊藤からの意見伺いを受けた大木喬任《たかとう》文部卿、西郷従道農商務卿および山形有朋内務卿は一致して反対姿勢を表明したとのことである（大木曰く「彼には益あるべきも我には益するところなく」）。これを受けて外務省は会議への参加を見合わせた。その後も、明治19年には井上馨外務大臣が、そして明治21（1888）年には大隈重信外務大臣が、それぞれベルヌ条約に対して否定的な主張を唱えていた。

こうした消極姿勢は、民間人も同様だったが、その主な理由は、ベルヌ条約への加盟が外国語書籍を日本で翻訳する上での妨げになると考えられたことであった。

同じく山田博士の紹介するところによれば、雑誌の『太陽』は、日本が条約に加盟する前の明治30（1897）年に、「わが文壇は一種の版権畏怖症に罹かりて、其盛運は忽にして縮収せり」「其の翻訳の自由を禁止せらるるあらば、今日我が国民人文の発達上に被る妨害は挙げて言う可らざるなり」などと論じて〔山田142〜143ページ〕、反対の論陣を張っていたし、読売新聞は、日本が条約に加盟した後の明治41（1908）年に至っても、ベルヌ条約への加盟を痛罵していた（同年8月4日）。

㈤　さて、ベルヌ条約では、翻訳に関する条項はしばしば改正されているが、日本が加盟した1896年条約では、10年以内に翻訳出版されなければ、著作者の翻訳権は消滅すると定められていた（10条1項）。これを受けて定められたのが、日本の旧著作権法7条である。

7条1項　著作権者原著作物発行のときより10年内に其の翻訳物を発行せざるときは其の翻訳権は消滅す。

同2項　前項の期間内に著作権者其の保護を受けんとする国語の翻訳物を発行したるときは其の国語の翻訳権は消滅せず。

旧著作権法では、原則として著作権の保護期間は著作者の死後30年であったのに対し、翻訳権については著作権者の権利が大幅に制約されており、10年待てば（かつ、その間に翻訳物が発行されなければ）、大手を振って無料で翻訳できる。とはいえ、従来は無断翻訳が当たり前であったことを思えば、反対論が強かったのは当然であろう。

ところが、その後1908（明治41）年にベルヌ条約は改正され、条約上は、翻訳権の保護期間は一般の著作権と同じ保護期間たるべきとされた。これを受けて、欧州諸国は日本に対して旧著作権法7条を撤廃し、翻訳の特別扱いをやめるよう再三要求したが、日本はこれを拒否。日本は、翻訳については従前の条項（1896年条約10条1項）に従うことを宣言し、旧著作権法7条を維持し続けた。これを10年留保という。

日本が10年留保をやめたのは、現行著作権法施行からである。現行著作権法では、「著作者は、その著作物を翻訳し、編曲し、若しくは変形し、又は脚色し、映画化し、その他翻案する権利を専有する」

との定め（27条）を設け、旧著作権法と同じく著作者には翻訳権が帰属することを明記しつつ、保護期間に関しては特別扱いが廃止された。すなわち、現行著作権法では、その制定時において、翻訳権を含めて、著作権は原則として著作者の死後50年と統一された（51条）。なお、死後50年という保護期間は、現在では平成30（2018）年の著作権法改正により、死後70年に延長されていることは、前章で見た。

また、ベルヌ条約の最後の改正は1971（昭和46）年に行われているが（1971年条約）、1971年条約の加盟国は2020（令和2）年1月9日現在で187か国に達している。なお、米国は1989（平成元）年に加盟した。宮田昇氏（日本ユニ著作権センター顧問）の研究によれば、米国は、①著作権保護に登録を要する、②英語の著作に関しては米国で印刷発行されなければ著作権が発生しないといった、ベルヌ条約に適合しない独特の制度ゆえに長らく加盟できなかったが、1988（昭和63）年の法改正によりベルヌ条約への適合を確保した上で、ようやく加盟に漕ぎ着けた。米国の狙いにつき、高倉成男明治大学教授は、知的財産保護を他国に働きかける上での発言力強化を意図したものと推測している。

㈥　佐々木隆聖心女子大学教授の研究によれば、日英条約締結後、列強各国が英国に追随したため、日本は、1894（明治27）年に米国・イタリア、1895（明治28）年にロシア、1896（明治29）年にドイツ・フランス、1897（明治30）年にオーストリアなどとの間で、新条約を締結することができた。

また、日英条約は、同条約の調印の9日後に始まった日清戦争の勝利にも寄与した。時の内閣（第2次伊藤博文内閣）の外務大臣であった陸奥宗光の『蹇々録《けんけんろく》』によれば、日清戦争中に中立国（欧米諸国）の国民やその財産への日本による処分が、領事裁判権を口実に難癖をつけられることは稀《まれ》であったが、その理由の一つは、数年後には英国の領事裁判権が撤廃されることにあったという。ベルヌ条約の締結は、発展途上にあった当時の日本にとっては、無断翻訳できなくなるという不利な側面もあったが、それを上回る利益を十分に手にすることができたといってよいであろう。

16 絵本の読み聞かせは著作権侵害？
——セーフとアウトの判断基準

㈠　著作権者には極めて広い権利が与えられるが、著作権法第5款の30条〜50条（以下、条文はすべて著作権法）には著作権を制限するための規定（権利制限規定）が数多く定められており、これらに該当する場合には、著作権者に無断で著作物を用いることができる。

たとえば、複製権については複数の権利制限規定が設けられているが、特に重要なものは30条1項の「私的使用のための複製」であり、この規定により、私的使用、すなわち「個人的に又は家庭内その他これに準ずる限られた範囲内において使用すること」を目的とする場合は、複製が容認される。私の長男はアンパンマンが大好きだが、著作権者に無断でアンパンマンの絵を子供に書いて与えても著作権侵害とはならない。

そのほか、たとえばアンパンマンの絵本を子供に読み聞かせるのも問題ない。30条の私的使用に該当するほか、38条1項の「営利を目的としない上演等」にも該当するからである。すなわち、営利目的でないこと、聴衆・観衆から料金を受けないこと、実演家・口述者に報酬が支払われないこと、という三つの要件を充たす場合には、著作物を著作権者に無断で上演・演奏・上映・口述できるからである。

(二)　しかし、子育てのためならば何をやってもよいというわけはなく、ＳＮＳにアンパンマンの図柄や読み聞かせの音声をアップすれば、もはや私的使用とはいえず、複製権侵害になる。公衆送信権の侵害にもなるであろう。

ただし、30条の2に、いわゆる「写りこみ」に対応するための定めがある。同条1項により、写真・動画（写真等著作物）の撮影において、キャラクターや音声（付随対象著作物）が写りこんでしまっても、複製権侵害にはならない。また、同条2項には、「複製された付随対象著作物は…写真等著作物の利用に伴つて利用することができる」とあるので、複製、公衆送信などすべての支分権（後述）に該当する行為につき、著作権者の許諾を得ることなく行うことができると考えられる。

よって、家族や子供の生活の記録の一端としての写真や録画にアンパンマンの図柄や読み聞かせの声が写りこんでしまうような場合には、著作権侵害とはならないことが多いだろう。

ただし、30条の2第1項では付随対象著作物が写真等著作物の「軽微な構成部分」であることが求められるので、絵本を始めから終わりまで読み聞かせ、これを録画するような場合には、著作権侵害となりそうである。

このように、どこまでがセーフでどこからがアウトとなるかについては、著作権法の複雑な定めを一つひとつ確認する必要がある。

(三)　以下、著作権者の権利について、体系的に紹介しておこう。

権利の具体的内容は、著作権法21条～28条に定められている。ここでは、文化庁の分類に基づき、大きく四つのカテゴリーに分けて整理する。

第一は、コピーを作ることに関する権利である（①複製権：21条）。

第二は、直接又はコピーを使って公衆に提示することに関する権利である（②上演権・演奏権：22条、③上映権：22条の2、④公衆送信権：23条1項、⑤公の伝達権：23条2項、⑥口述権：24条、⑦展示権：25条）。

第三は、コピーを使って公衆に提供することに関する権利である（⑧譲渡権：26条の2、⑨貸与権：26条の3、⑩頒布権：26条）。

第四は、二次的著作物の創作・利用に関する権利である（⑪二次的著作物の創作権：27条、⑫二次的著作物の利用権：28条）。

これら①～⑫の権利を支分権といい、著作権とはこれら支分権の総称である（それゆえ、著作権は「権利の束」と称される）。著作権者は、これらの権利に基づき著作物を排他的に用いることができるが、著作物を、他人に利用させることもできる。つまり、著作権とは、①～⑫の支分権を「無断で他者に行使されない権利」であると考えればよい。

(四)　最も中心的な支分権は、①の複製権で、複製は「印刷、写真、複写、録音、録画その他の方法により有形的に再製すること」（2条1項15号。傍点筆者）と定義されている。この「有形的な再製」とは、現在存在しない技術も含めて、様々な複製技術によるコピーを意味する。たとえば、パソコンやスマホで音楽や動画を録音・録画することもこれに当たるし、当然ながら、機械によるコピーだけではなく、手書きの写し取りもこれに当たる。

次に、②の上演とは演奏以外の方法により著作物を演ずることであり、演奏とは音楽を演ずることである（2条1項16号）。注意を要するのは、上演・演奏には、離れた場所にあるスピーカーなどに伝達してこれを聴衆に聴かせたり、録画物・録音物（ＤＶＤ、ＣＤなど）を再生することなども含まれることである。

③の上映は、「著作物を映写幕その他のものに映写すること」（2条1項17号）と定義されている。

④の公衆送信とはやや耳慣れない言葉であるが、公衆向けであれば、無線・有線を問わず、あらゆる形態の送信がこれに当たる。よって、テレビ・ラジオなどの放送や無線放送は当然含まれるし、インターネットなどによる「自動公衆送信」（2条1項9号の4）も含まれる。なお、自動公衆送信には「送信可能化」（2条1項9号の5）、すなわち、受信者によるアクセスの前段階のアップロードなども含まれる。

⑤の公の伝達とは、受信機器（主にテレビ）を用いて著作物を人々に見せることである。

⑥の口述とは、文学作品の朗読などのことであり、⑦の展示とは、「美術の著作物の原作品」と「未発行の写真の著作物の原作品」を展示することである。

⑧⑨⑩の譲渡権・貸与権・頒布権は、著作物の複製物の譲渡・貸与に関する権利であるが、映画著作物の譲渡と貸与の権利は⑩の頒布権、それ以外の著作物の譲渡の権利は⑧の譲渡権、貸与の権利は⑨の貸与権という整理がなされている。

⑪は、著作物を二次的著作物（2条1項11号「著作物を翻訳し、編曲し、若しくは変形し、又は脚色し、映画化し、その他翻案することにより創作した著作物」）に改作する権利である。たとえば、小説や漫画などを翻訳したり、映画やテレビドラマに作り替えようとする場合、著作権者（原作者）の許諾が必要となる。そして、⑫の権利により、漫画が翻訳された場合、この翻訳物を利用しようとする者は、翻訳物の著作権者（翻訳者と翻訳者から著作権の譲渡を受けた者）だけではなく、原作者の許諾をも要することになる。

こうした著作権の権利内容を理解し、セーフとアウトを適切に判断したいものだが、一つひとつの行為が複数の支分権や権利制限規定に該当することもあり、その判断は時に容易ではない。

17 複製権侵害の判断基準――ふわふわ四季の便り事件など

㈠　著作権者が持つ様々な権利（支分権）のうち、最も中心的なものは複製権である。複製とは前章で述べたように、要するにコピーのことだが、著作権法では「印刷、写真、複写、録音、録画その他の方法により有形的に再製すること」（著作権法2条1項15号。以下、条文はすべて著作権法）と定義される。よって、複製は「有形的な再製」、すなわち有形的なコピーに限られる。

現行著作権法の起草者である元愛媛県知事の加戸守行氏は、複製について、具体的に存在する物（媒体）の中に著作物を収録する行為、と説明している。媒体に限定はなく、紙やテープのような古いものから、CDやDVDなどの新しいものも含む。他方、複製の対象は媒体に記録されているものである必要はなく、たとえば生演奏や講演などを録音・録画する行為も複製と評価される（生演奏の採譜、講演の文字起こしも同様）。

いずれにしても、コピーのうちでも、いわゆる無形的なコピー（上演及び演奏など）は複製に当たらず、複製権以外の支分権（上演権・演奏権など）の保護対象となる。

また、複製権を他の支分権と比較する上でもう一つ重要な点は、複製自体が著作権侵害となる点である。つまり、次のように、上演権・演奏権などの定めでは、「公に」という要件が加えられているが、複製権ではそうではない（傍点筆者）。

21条（複製権）　著作者は、その著作物を複製する権利を専有する。

22条（上演権及び演奏権）　著作者は、その著作物を、公衆に直接見せ又は聞かせることを目的として（以下「公に」という。）上演し、又は演奏する権利を専有する。

かくして複製権は、著作物のコピーを公衆に見聞きさせる前の時点で、コピーそのものを禁止できる強力な権利であるが、このような強い権利を著作権者に与えるのは、有形的に再製されたコピーはそれが破棄されない限り永続的に存在し、将来人手に渡り、無断で様々な利用をされる可能性があるからである。

㈡　さて、第三者が無断で複製すれば複製権（著作権）侵害となるが、判例では①依拠性と②類似性があるかで「複製」であるかどうかが判断される。つまり、依拠性（参考にすること）＋類似性（似ていること）＝複製（真似《まね》すること）と考えればよい。

まず、厳密に何をもって①依拠とするかについては様々な議論があるが、依拠したといえるためには、少なくとも、他人の著作物に接したことが必要となる。よって、結果的に（偶然）全く同一のあるいは酷似した内容であっても他人の著作物に接することなく独自に創作されたものである場合には、依拠性なしと判断される。
問題は依拠性の立証の難しさである。立証責任を負うのは著作権者だが、依拠した者がそれを自ら認めることは通常考え難い。そこで裁判所は、様々な事情を総合的に評価して依拠性の有無を判断している。

㈢　たとえば、永禄建設会社案内事件では、裁判所は取引の一連の経緯などから依拠性を肯定した。本件では、永禄建設は、自社パンフレットの作成のため、見本をパンフレットの制作会社であるサンドケー社から受領したが、料金の高さを理由に注文を見合わせた。その後、永禄建設はソフト社が作成したパンフレットを採用した。これに対して、サンドケー社は、ソフト社製のパンフレットはサンドケー社製に酷似しており、複製権侵害だとして永禄建設に出版配布の差止めと損害賠償などを請求した。
東京高裁（平7・1・31）は、ソフト社がサンドケー社のパンフレットの内容を参照する時間的余裕が十分にあったこと、永禄建設とソフト社は密接な関係にあること、二つのパンフレットの幾つかの部分の類似は偶然の一致とは考えにくいことなどを総合的に勘案して依拠性ありと判断し、結論として複製権侵害を認め、永禄建設に出版配布の差止めと賠償金約127万円の支払いを命じた。

㈣　次に、②の類似性は、判例上は、「表現上の本質的な特徴の同一性」（最判平13・6・28）を意味すると説明されている。つまり、二つの著作物に共通部分がある場合において、その共通部分が「本質的特徴」に当たる部分であるか否かが、類似性の判断の分かれ目になると考えればよい。

比較的近年の「ふわふわ四季の便り事件」東京地裁判決（平26・10・30）では、シールの絵柄の類似性が大きな論点となった。この事件では、美術品の展示・販売などを業とする原告が、自社の著作物である九つの絵柄（シールなどに用いる）を、被告の文房具メーカーがシールの絵柄として無断で複製したとして、販売差止めと損害賠償を請求した。東京地裁は、九つの絵柄のうち八つについては類似性なし、一つについてのみ類似性ありと判決し、被告に販売差止めと賠償金約２万円の支払いを命じた（依拠性も認められたが省略する）。

以下、類似が認められなかった絵柄（睡蓮《すいれん》、**図17-1**と**図17-2**）と、認められた絵柄（瓢箪《ひょうたん》、**図17-3**と**図17-4**）を一つずつ取り上げる（図は、判決文別紙より引用）。なお、本件で被告は、類似性を否定するための証拠として、睡蓮や瓢箪をモチーフにした他業者の絵柄（対象図案）を多数（睡蓮については30種、瓢箪については21種。裁判所ホームページで閲覧できる）、裁判所に提出しており、それらと原告の絵柄との比較が類似性有無の判断の決め手となった。

まず、睡蓮について東京地

図17-１　原告絵柄（睡蓮）

図17-２　被告絵柄（睡蓮）

図17-３　原告絵柄（瓢箪）

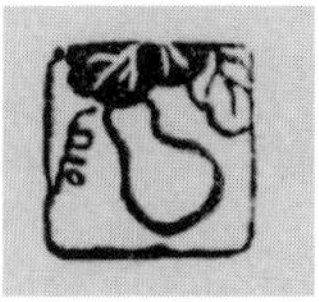

図17-４　被告絵柄（瓢箪）

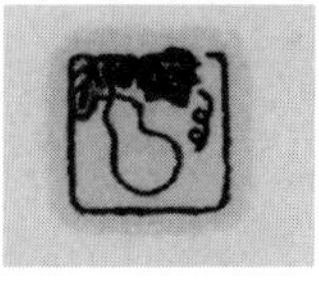

裁は、対象図案と比較した上で、図17-1の表現（花を上方に配置し2・3枚の葉を下方に配置することや、葉に切込みを1つ入れることなど）はありふれた表現であって、図17-1には顕著な表現上の特徴が存在しない。そして、図17-2では、本質的特徴部分ではなく、ありふれた部分が共通するに過ぎない、として複製には当たらないと結論した。

次に、瓢箪について東京地裁は、図17-3は太い白線が入った黒地の葉っぱと、太い黒線が入った白地の葉っぱを織り交ぜている点で対象図案と相違しており、原告の表現上の特徴が認められると論じた上で、図17-4もこうした特徴を共有していることから、類似性が認められるとして、複製に当たると結論した。

図17-1・図17-2と図17-3・図17-4はどちらもよく似ているようにも見えるので、一方のみに複製ありとする結論には、にわかには賛成できないという向きもあろうが、複製の有無を判断するための筋道については大きな異論はないのではなかろうか。

18 真似を禁止するのはなぜか？

㈠　前章で複製（真似すること）とは、「先行する著作物への依拠（参考にすること）」＋「先行する著作物との類似（似ていること）」の二つが要件となることを説明した。

この判断枠組みは複製権のみならず著作権全般に共通するものであるが、改めて確認しておくと、依拠を要件とするのは、偶然の一致や類似の場合には著作権法違反とはならないようにするためである。つまり、著作権法は意図的な真似を禁止するわけであるが、それならば、他人の著作物を真似することが不当なこととして禁止されるのはなぜであろうか？　この問いに対して最もよく返ってくる答えは、真似を放置することが、創作を志す人々のインセンティブ（動機付け）を害するからという答えであろう。

㈡　こうした見方は俗にインセンティブ論といわれている。すなわち、自身が苦心惨憺《さんたん》して著作物を創作しても、第三者による無断での複製を阻止できず、利益を得ることができないのであれば、大多数の人は創作などばかばかしいと思うようになるかもしれない。また、手っ取り早く他人の著作物を勝手に用いる道を選ぶようになるかもしれない。つまり著作権法によって著作権侵害を阻止できないのであれば、創作のインセンティブが損なわれ、著作物の量や種類の減少を招くことになるかもしれない。

そこで、一定期間、無断の複製を阻止する権利を著作者に与えることで創作のインセンティブを確保し、著作者が創作活動から利益を得る道を開くことが著作権法の存在理由である、と説明される。

しかし、インセンティブ論についてはその信憑《しんぴょう》性につき、疑問とする声もないでもない。たとえば米国の代表的な知的財産法学者のロバート・P・マージェス博士がその一人である。同博士は、自身が長年にわたりインセンティブ論の正当性を実証しようとしてきたが、とうとう決定的なデータを得ることはできなかったと率直に告白する。そして、仮にある日突然著作権法が廃止されたとして、今よりも小説やポップスの創作の量が減るであろうことを示す確固たる証拠はなく、「(著作権法を含む) 知的財産法がないよりもあった方が人々の状況が改善することを示す検証可能なデータに基づいて知的財産法を正当化することは私には全くできない」という〔マージェス3ページ〕。

㈢　そこで、マージェス博士は、著作権を正当化するためにインセンティブ論ではなく、いわゆる自然権論に立つことを表明している。自然権論では、著作権を保護することで社会に好ましい結果がもたらされるかを問題とすることなく、創作活動は気高い精神的活動であってそれ自体で称賛に値し、その成果たる著作物はそれ自体で尊いと考える。よって、この立場では、著作権は、基本的人権と同じく自然権(最も根本的な権利)と理解されることになる。

そして、自然権論の論者は著作物を著作者の分身のように考えており、それゆえ、著作権者が著作物を自身の手足のように自由自在に用いることが望ましいと考える。マージェス博士によれば、たとえば、彫刻家は自身の作品を誰かに売却した後も自身の作品の展示場所をも決め得るべし、とするのが基本的な考え方となる。

(四) 彫刻家の例について念のために解説しておくと、日本の著作権法では、美術著作物につき、①原則として、著作権者は、原作品を公に展示する権利を専有するが(展示権。25条)、②例外的に、原作品の所有者は、原作品を公に展示することができる(45条1項)。しかしながら、③「原作品を街路、公園その他一般公衆に開放されている屋外の場所又は建造物の外壁その他一般公衆の見やすい屋外の場所に恒常的に設置する場合には」、所有者は著作権者に無断で展示することはできない(45条2項)。

つまり、彫刻家が作品を売却した後に、購入者(所有者)は購入した作品を彫刻家に無断で美術館に展示することはできるが、彫刻家に無断で公園などに設置することはできないことになる。

このように現実の法の定め方においては、著作権者と所有者の双方の利益をバランスさせようとしているが、自然権論に傾く場合、社会経済的にマイナスであるとしても、より著作権者に有利な制度が設けられることになるであろう。かくして、自然権論に対しては、著作権が強くなり過ぎる傾向がある点につき批判がある。

(五) 一般に、米国ではインセンティブ論が支配的である一方、欧州では自然権論に強く影響されているといわれる。

日本の著作権法については、法目的が「文化的所産の公正な利用に留意しつつ、著作者等の権利の保護を図り、もって文化の発展に寄与すること」（1条）であることが注目される。大谷卓司吉備国際大学准教授は、この規定からは、著作権はそれ自体に価値があるがゆえに保護するのではなく、文化の発展という結果から正当化されるという認識を読み取ることができる、と論じている。そのほか、現行著作権法の起草者である加戸守行氏が、著作権は天賦人権ではなく、自然発生的な権利ではないといっていることも注目されるであろう。

いずれにせよ、日本の著作権法は明治時代に不平等条約改正のために西欧から継受して導入したものであり、少なくとも制度導入の時点では、著作権侵害を不当とする観念が国民の中に浸透していたとはいえないように思われる。たとえば倉田喜弘氏によれば、広瀬淡窓《たんそう》（江戸時代の儒学者）の弟子にして、明治時代の漢学者である石井南橋《なんきょう》は、「学者、皆古人の書を網羅し以て利名を得るに非ずや。何ぞ福沢の量度の狭《せまく》して、而して志操の鄙《ひ》なるや」と論じて〔倉田30ページ〕、著作者の権利保護を強く主張していた福沢諭吉を批判したそうである。当時の国民の多くも石井と同じような意識だったのではあるまいか。

よって、出発点において、国民がインセンティブ論であれ自然権論であれ、著作権侵害が不当であるゆえんを十分に整理、理解することはなかったであろうし、もしかするとそのことは今日でも同じかもしれない。

しかし、古い時代の日本に真似を問題視する気風が全くなかったわけではない。本歌取りという和歌の伝統的技法につき、藤原定家は、『詠歌大概《えいがたいがい》』の中で、①近年（70年から80年程度）の和歌からは1句といえども用いてはならないこと、②古歌の5句のうち3句を用いるのは多すぎであり、2句＋3文字か4文字が限度であること、③古歌とテーマを変えるべきこと、などの考え方を示している。

800年も昔にこうした考え方が示されていたことを思えば、日本でも古くから、創作に従事する人々が真似と独創との微妙な関係に頭を悩ませていたことは間違いないと思われる。

⑲ 著作物の引用はどこまで許されるか
――藤原定家の本歌取りの教え

㈠ 前章で、『詠歌大概』を紹介したが、藤原定家はこれ以外にも、『近代秀歌』と『毎月抄』という著作の中で本歌取りに関する考え方を示している。

尼ヶ崎彬学習院女子大学名誉教授は、それらの著作における定家の考え方をまとめて、定家が考えるところの本歌取りと盗作の原理的な違いは、読み手がそれに気づくか否かであるという。以下、尼ヶ崎名誉教授の研究を参考に、定家の考え方を要約してみたい。

定家の考え方によれば、まず、取るべき箇所に関する基準が必要となる。つまり、本歌を取ったことが読み手に伝わらなければ、盗作と同じことになる。ここから、取ったことが読み手にすぐわかるように、周知の古典から、また特徴的な箇所を取るべしといった基準が生まれる（本書では、「本歌取りの第一ルール」という）。

加えて、取ってよい量に関する基準が必要となる。新歌は本歌とは独立した歌でなければならない。そのためには新歌の内容が本歌と異なることが要請される。ここから取る量の制限などの基準が生まれる。具体的には、本歌から取ってよいのは2句＋3、4字までとなる（本書では、「本歌取りの第二ルール」という)。

㈡　ところで面白いことに、定家の基準は、俗に「二要件説」と称される、著作物の引用に関する最高裁の考え方に似ているように思われる。

そもそも著作権法では、32条1項(以下、条文はすべて著作権法)において、「公表された著作物は、引用して利用することができる。この場合において、その引用は、公正な慣行に合致するものであり、かつ、報道、批評、研究その他の引用の目的上正当な範囲内で行なわれるものでなければならない」(傍点筆者)と定めることで、著作権者の許諾を得ることなく引用を行うことを適法としている。たとえば文学作品などを批評する場合、どうしてもその作品の一部を転記する必要が生じることがあるが、そのためにいちいち著作権者の許諾を得るのは骨が折れることであるし、許諾を得られなければ必要な転記をできないということになると、芸術の発展にもマイナスになるからである。

つまり一定の要件を充たす場合には無断利用が認められるわけであるが、その要件についての学説としてとして長らく中心的な地位を占めてきたのが、最高裁が昭和55(1980)年3月28日のパロディモンタージュ事件判決で採用した二要件説であった。二要件とは、①「明瞭区別性」(引用する側の作品と、引用される側の作品を明瞭に区別して認識できること)と、②「主従関係」(引用する側の作品が主であり、引用される側の作品が従の立場にあること)であり、①は上記本歌取り第一ルールに、②は本歌取り第二ルールに似ているといえそうである。

なお、①②ともに、32条1項の規定からは直ちには引き出せない要件であるが、多くの裁判例はこれを踏襲してきた。以下では、藤田嗣治絵画複製事件東京高裁判決（昭60・10・17）を例にして、①②の意味するところを説明したい。

㈢　本件は、大手出版社である小学館が、藤田嗣治の絵画12点をその出版する書籍（『原色現代日本の美術第7巻・近代洋画の展開』）に、著作権者である夫人（藤田の死後に著作権を継承した）に無断で掲載したことが発端であった。夫人は、著作権（複製権）侵害を理由として、絵画の複製と書籍の頒布の差止めや、損害賠償などを請求した。小学館は適法な引用と主張したが、東京高裁は二要件説に基づき小学館を敗訴させ、小学館に138万円の支払いを命じた。

判決は、①の「明瞭区別性」については肯定。すなわち、同高裁は、論文は言語著作物で、絵画は美術著作物であるという両者の性格の違いから明瞭区別性ありと判断した。

次に②の「主従関係」については以下の論理で否定した。

第一に、同高裁は、主従関係の有無について、両著作物の性質、引用の目的・内容・分量・方法・態様などに基づき決されるという判断基準を示した。

第二に、この判断基準を本件の事実関係に当てはめ、絵画は論文に対して従たる関係になく、適法引用は成立しないと結論した。すなわち、同高裁は絵画が論文の参考資料としての意味合いを持つことは認めつつも、絵画の大きさ・掲載の配置、紙質、カラー図版の色数などを総合すれば、それ自体で鑑賞対象としての独立性を有しており、論文に対して従たる関係にはないと判断した。

ちなみに東京高裁は、主従関係の有無の判断において引用の分量に関して詳しく分析している。たとえば、絵画の大半は、1ページに1点の割合で掲載されていること。各絵画の大きさは、最も小型のものでも約8分の1ページ、大型のものは約3分の2ページ。絵画は、各該当ページの約3分の1を占めるにすぎない論文の上部に割り付けられていること、など。

このように、引用の分量を重視する傾向は他の裁判例にも見られることである。よって、引用の分量が多ければ、主従関係が否定され、かつ、引用の適法性が否定されやすくなる。一方、藤田嗣治事件判決が論じているように、主従関係の有無の判断にあっては、引用の目的などの分量以外の事情をも考慮しなければならず、基準としてわかりやすさを欠くという批判もある。
(四) こうした問題があるため、近年、地裁と高裁のレベルでは二要件説を採用しない裁判例が現れ始めている。たとえば、絵画鑑定書事件では、美術品の鑑定業者が鑑定書の裏面に、鑑定対象たる絵画の縮小コピーを貼付していたことが適法引用であるか否かが問われたが、知財高裁判決（平22・10・13）は、二要件には言及せず、32条1項の条文に沿って「公正な慣行」「引用の目的上正当な範囲内」という要件に該当するかを判断した。結論として、縮小コピーを貼付する目的は、鑑定対象である絵画の特定や鑑定証書の偽造防止にあり、引用の目的上正当な範囲内にあると認められると判断され、問題となった絵画の縮小コピーを適法引用と判決している。

なお、本件では、縮小コピーは鑑定証書の裏面全体に貼付されているため分量は全体の2分の1を占める。よって、最高裁の二要件説に従っていたとすれば、主従関係の存在を認めること（つまり、適法引用と認めること）は困難であったと推測される。

ゆえに、二要件説の放棄は、適法引用の有無をより柔軟に判断するための道を開くものと評価できるところ、雪丸真吾弁護士の調査によれば、絵画鑑定書事件知財高裁判決以降では、二要件説を採用する裁判例は見当たらなくなっているようである。しかしながら、公正な慣行や正当な範囲について判断するためにどのような要素を勘案するかについての考え方は、収斂していない。知財高裁の判断にも幅があり、上記絵画鑑定書事件判決では、「著作権者に及ぼす影響の有無・程度」を判断要素の一つに位置付けているが（縮小コピーが添付されているからといって著作権者が経済的利益を得る機会が失われるわけではないことを重視している）、その一方で、毎日オークション事件判決（知財高判平28・6・22）では、そうした点は全く考慮されていない（結論として、適法性なしと判断された）。

㈤　いずれにしても二要件説がかつての影響力を失った理由の一つは、量的基準（主従関係）では、多様極まりない創作活動に適切に対応できないということにある。美術著作物の利用（複製）のほか、言語・写真・音楽著作物などの複製。そして、それらの上演・演奏・公衆送信なども引用に含まれるからである。

さて、興味深いことに、定家は自らが定めた本歌取りのルールを破ることもあった。

本歌は、万葉集の「足引きの　山鳥の尾の　しだり尾の　長々し夜を　ひとりかも寝む」。定家による新歌は「ひとり寝る　山鳥の尾の　しだり尾に霜おきまよふ　床の月影」（傍点筆者）。

「山鳥の尾のしだり尾」という七五の句のほか、「ひとり寝る」は「ひとりかも寝む」から取ったものであるから、2句＋5字まで取っている。つまり、上記本歌取りの第二ルールに抵触していることになる。

しかしながら尼ヶ崎名誉教授は、定家はこの歌が本歌取りであって盗作ではないことを確信していたに違いないという。曰く、本歌は単に独り身のわびしさを歌うものである。対して、新歌は、夜にふと目を覚ますと床を白く月光が照らしており、霜が降りかかっているように見える情景を描写している。そこで詠じられているのは、「もはや愚痴ではなく、恋の宿命の認識」である〔尼ヶ崎２０６ページ〕。つまり、和歌の魂というべき部分に大きな違いがある、と。

(六)　思うに、定家の定めたルールは彼の弟子や初学者に向けた教えなのであって、定家は自身のような達人は形式的な基準を遵守する必要はないと考えていたのではなかろうか。

こうした形式的基準を退けることは、二要件説を退ける場合と同じく創作活動の自由度を広げることにつながる。しかしながら、素人からすれば、どのあたりが適法性確保のためのポイントとなるかがわかりにくくなるといううらみはあるであろう。

⑳ カラオケとＮＨＫの番組ネット配信と、著作権法

㈠　著作者や著作権者は、著作権を侵害した者に対して差止めと損害賠償を請求できる（著作権法112条1項、114条。以下、条文はすべて著作権法）。

しかし、複製権その他の権利に直接的に違反する権利侵害を禁止するだけでは、著作者・著作権者の利益を十分に保護できないこともある。そこで、いわゆる「みなし侵害」の定め（113条1項）により一定の行為が侵害行為とみなされ、これらも差止めなどの対象となる。具体的には、海賊版などの侵害物品を頒布目的で輸入したり、権利侵害物品と知りつつ頒布したり輸出することなどがこれに当たる。

㈡　こうした明文の定めに加えて、物理的に侵害行為を行っているわけではないが侵害行為を支援したり寄与したりする者をも侵害者としてとらえることを是とする解釈がある。クラブキャッツアイ事件によって形成された、いわゆる「カラオケ法理」である。

この事件は、カラオケスナック店（クラブキャッツアイ）の経営者と、楽曲の著作権管理団体（日本音楽著作権協会：ＪＡＳＲＡＣ）との間の、楽曲使用料の支払いをめぐる争いである。

店の経営者は、カラオケ装置とカラオケテープを用いて歌唱しているのは客本人であって、店（経営

者）ではない、と論じて自身に使用料の支払い義務はないと主張した。この主張が正当であるとすれば、ＪＡＳＲＡＣは客個人に使用料を請求すべしということになるが、客個人の責任を追及することは容易ではない。

というのも、著作権者は演奏権を持ち（22条「著作者は、その著作物を、公衆に直接見せ又は聞かせることを目的として…上演し、又は演奏する権利を専有する」傍点筆者）、歌唱は「演奏」に当たるが、客による店での歌唱は「公衆に聞かせることを目的とする」とは言い難い。また仮に、「公衆に聞かせることを目的」としていたとしても、客の歌唱は「非営利」「無償」「無報酬」であろうから、権利者の演奏権は及ばない（38条1項）。ゆえに客は権利者に無断で歌唱できるという結論になるからである。

よってＪＡＳＲＡＣが楽曲の無断利用をやめさせようとするならば、客ではなく店を侵害主体ととらえるほかはない。かくして、ＪＡＳＲＡＣは、店が演奏権を侵害したとして提訴した。

最高裁は、客の歌唱は店の歌唱と同視できると論じて、店の演奏権侵害を認め、ＪＡＳＲＡＣを勝訴させた（昭63・3・15）。理由は、①店による管理・支配（客は店に設置されていたカラオケテープの枠内で選曲していたことや、店員から歌唱の勧誘を受けていたことなどから、客の歌唱は店の管理下にあったこと）、②店への利益の帰属（店としての雰囲気を好む客の来集を図って営業上の利益を増大させることを意図していたこと）の二点である。

ところで、付言しておくと、今日では、わざわざカラオケ法理を用いて客の歌唱を店の歌唱と同視する必要などはなく、店によるカラオケテープの再生それ自体を店による演奏権侵害ととらえることができる。当時において、そうした素直な法の適用ができなかったのは、当時の著作権法附則第14条において、原則として、録音物の再生は演奏権侵害には当たらず生演奏のみがこれに当たると定められていたことによる。この定めは平成11（１９９９）年の著作権法改正で削除されたため、今日では、生演奏と録音物の再生のいずれもが演奏権の対象となることに異論はない。よって、たとえば音楽テープやＣＤなどを用いたＢＧＭに対しても当然に演奏権が及ぶ。

㈢　さて、クラブキャッツアイ事件最高裁判決以後、カラオケスナックのみならずカラオケボックスにおける歌唱のほか、ゲーム喫茶などでのゲームソフトの上映などにつき、客（サービス利用者）の行為に関して、業者自体を侵害主体ととらえる裁判例が相次いだ。そうした法の適用はインターネット関連ビジネスにも及んでいる。平成23（２０１１）年に最高裁が同時期に下した、①まねきＴＶ事件と②ロクラクⅡ事件に対する判決がその代表例である（①の判決は1月18日、②の判決は1月20日）。

これらは、インターネット経由で海外で日本のテレビ番組を視聴できるようにする配信サービスを提供していた業者に対して、ＮＨＫと在京キー局5社が（②では、複数の地方テレビ局も）、著作権（公衆送信権、複製権）侵害を理由に差止めと損害賠償を請求した事件であった。両事件とも知財高裁ではテレビ局敗訴であったが、最高裁で破棄差戻し（テレビ局実質勝訴）という結果に終わっている。

まず、①で問題となった「まねきＴＶ」というサービスは、東京都の業者が、客にソニー製の機器

「ロケーションフリー」（テレビ番組をインターネット経由でテレビやパソコンに配信できる）を購入させたうえでこれを預かる。そして、客はインターネットで海外でも日本のテレビ番組をリアルタイムで視聴できるようになる、というものであった。

次に、②で問題となったサービスは、静岡県の業者が、「ロクラクⅡ」という名称の機器の親機を国内で客から預かり、子機は客が海外で所持する。そして客は子機によって日本のテレビ番組を録画・視聴できるという録画転送サービスであった。

①②のサービスにより、客は日本国内に設置された受信装置を海外で遠隔操作することで、日本国内で放送される番組に接することができるようになると考えればよい（①の機器には録画機能はないが、②の機器にはあるという相違はある）。

両事件における主要な争点は、客と業者のいずれを行為の主体と見るかにあった。

この点につき、知財高裁は、①②双方で行為の主体を客ととらえた。その上で、同高裁は、①では、ロケーションフリーは一対一の送信機能を持つに過ぎず、番組の送信は客の操作により行われるので、公衆送信権侵害はないと判決した（平20・12・15）。

また、②では、客は機器を使用することで自身のために録画するのだから、私的使用のための複製に当たる、ゆえにテレビ局の複製権は及ばず、複製権侵害とはならないと判決した（平21・1・27）。

しかしながら最高裁では、①②双方につき、業者が侵害行為の主体であると判断し、知財高裁の判断を破棄した。判断の理由についての詳説は控えるが（カラオケ法理を維持するものであるか否かについては、評価が分かれている）、いずれにしても著作権侵害の行為主体を拡大しようとする方向での法解釈に変わりはない。

㈣　さて、池田信夫博士は、平成22（２０１０）年の時点で、まねきＴＶ事件を次のように評している。

「〔近年〕世界のテレビは大きく変わった。同時に不特定多数に「放送」する時代は終わって、必要なときにオンデマンドで見る方向になり、インターネットと融合したサービスに進化しているのだ。ところが日本では、…自分の受信した番組を自分で見ることまで禁止される…。…全テレビ局が団結して新しいビジネスを妨害するこの訴訟は、古い業者の既得権を守ってイノベーションをつぶす日本の象徴だ。ＮＨＫは、公共放送として恥ずかしくないのか」

このように池田博士は、日本のテレビ業界が、オンデマンドの普及という現象に見られる、視聴者の利便性や選択肢の尊重という世界的な潮流に反し、著作権を利用してインターネットを用いた番組配信を阻止しようとしたことを厳しく批判している。

こうした批判から約9年後、平成31（２０１９）年3月5日の放送法改正の閣議決定を受けて、ＮＨＫは同年度中に、番組を放送と同時にネット配信する常時同時配信を始めることになった。日本民間放送連盟は、現状の規制においてＮＨＫがネット業務に充てることができる費用の上限は受信料収入の

2・5％と定められていることに触れ、NHKが今後もこの上限を遵守すべしという見解を示し、できる限りNHKの同時送信を抑制したいという願望を露《あら》わにしている（日本経済新聞平成31年3月6日朝刊）。かつてNHKは新しいビジネスの芽を摘み、海外邦人のささやかな楽しみを奪っておきながら、今になって、常時同時配信に踏み切るのはずいぶんご都合主義的な態度であると思わずにはいられないが、このNHKの決定がテレビ業界のカルテル的な行動を変容させる契機となるならば慶賀すべきことといってよいであろう。

いずれにしても、近年のデジタル機器やインターネットの発展などの状況の変化により、著作権法はビジネスの進展に甚大な影響を与えるようになった。なお、まねきTV事件で問題となった公衆送信権とは、「公衆によって直接受信されることを目的として」著作物を送信する権利であり（2条1項7号の2、23条1項）、公衆向けであれば、無線・有線を問わないし、インターネットや衛星放送による送信もこれに含まれる。このように、主に文学作品の保護から始まった著作権法は、宇宙ビジネスにまで影響を与えるようになっている。

21 特許法は「産業の発達」に寄与しているか

(一) 今日、最も重要な知的財産は発明であり、発明を保護するための中心的な制度は特許法である。

特許法では、まず、「発明」を「自然法則を利用した技術的思想の創作のうち高度のもの」(2条1項)と定義している。特許庁の『特許・実用新案審査基準』(平成27年)は、おおむね次のように解説している。

第一に、発明は、自然法則の利用であることを要すため、自然法則(万有引力など)自体は発明に該当しない。また、「人為的な取決め」(ゲームのルールなど)などの、「自然法則を利用していないもの」も発明に該当しない。

第二に、発明は技術的思想であることを要すため、「技能」すなわち「知識として第三者に伝達できる客観性が欠如しているもの」(野球の変化球の投球方法など)や、「単なる美的創作物」(絵画など)は発明に該当しない。

第三に、発明は創作であることを要すため、自然現象や鉱石などの天然物を「発見」しても発明に該当しない。しかし、「天然物から人為的に単離した微生物」などは創作されたものであり、発明に該当する。

(二) 以上のように定義される発明のうち、後述する幾つかの要件を満たすものに限って特許権が付与される。特許権の存続期間は出願日から20年で終了する。特許権者は特許発明を独占的に「実施」できる。発明は、「物の発明」、「方法の発明」、「生産方法の発明」に大別されるが、物の発明に特許権が付与された場合は、その物を生産、使用、譲渡・貸渡し、輸出入、展示など実に幅広い行為が「実施」を意味する（ここでは方法の発明と生産方法の発明の説明は省略する）。こうした権利を他人に侵害（無断で実施）された場合には、特許権者は、差止めや損害賠償を請求できる。

(三) さて、特許を受けるための主な要件は、①産業上の利用可能性、②新規性（出願以前に、既に知られた発明でないこと）、③進歩性（先行技術の技術水準からは容易には発案できないこと）である。

まず、①の産業上の利用可能性については特許法では「産業」は広義に解されるため、①を欠くと判断されることはあまりない（(一)の『審査基準』が①を欠くものとして明示するのは、主に、医療行為に関する発明である）。

次に、出願前に刊行物に記載された発明などは、②の新規性を欠くものとして特許を受けることはできず、また、新しい発明であっても従来の技術をもとにすれば誰でも簡単に思いつくようなものは、③の進歩性を欠くものとして、同じく、特許を受けることはできない。②と③の要件が設けられているのは、新規でない技術に特許権を付与しても技術の進歩にはつながらないし、また、たとえ新規性があっても、ありふれた発明にまで特許権を与えていては、特許権が増え過ぎてしまいかえって技術の進歩が制約されてしまうからである。

特許法では、そのような発明に特許権が付与されることがないよう厳格な審査体制が定められており、特許権は、特許庁の事前の審査にパスし登録されることで発生する。なお、特許法では、無効審判や特許異議申立てのように（26章参照）、特許庁の審査にパスして成立した特許権を事後的に無効・取消しとするための手続きも定められているが（無効審判の請求権者は利害関係人。特許異議申立ては誰でも行い得る）、これらは本来特許されるべきではない発明が特許されてしまう場合に対する備えである。

㈣　特許出願を行うのは、発明者かその承継者であるが、原則としてすべての出願は、出願日から1年6か月を経過した時に、審査の進捗状況の如何にかかわらず公開される。この公開により誰でも自由にその発明の内容を閲覧できるようになる。加えて、後日、審査にパスして特許権を付与された発明も公開される。このように特許法の中に公開制度が組み込まれているのは、制度の根本的な理念による。すなわち、特許法は「発明を奨励し、もつて産業の発達に寄与することを目的とする」（1条）。発明を奨励するために特許権を付与するが、その代償として、発明を公開させる。そのことが産業の発達をもたらす、という考え方である。

㈤　さて、特許法が、真に発明の奨励と産業の発達に寄与しているかにつき、懐疑的な見方もある。特許法不要論者であるワシントン大学のミケーレ・ボルドリン教授とデイヴィッド・K・レヴァイン教授は、特許権の本質的な機能は後続の技術開発を阻止することにあり、産業の発達に寄与するどころか逆にこれを妨げている。そして、発明の奨励が必要ならば、政府は発明者に報奨金を給付すればよい、と説く。

両教授はまた、歴史的に見て、ほとんどのイノベーションは特許権の恩恵なしで生じている、という。一例として、両教授は、１９８１（昭和56）年以前にはソフトウェアは特許法の対象外であったが、ソフトウェア業界における主要なイノベーションは同年以前に生じていた、という。そして、同業界において「現代のアイデアの多くが発明されたとき、特許が…取得されていたなら、この業界は現在すっかり行き詰まっていただろう」という、ビル・ゲイツ氏の発言を紹介している〔ボルドリン＝レヴァイン25ページ〕。

特許法には以上に見たようなマイナスの面も確かにあろう。この点につき中山信弘博士は、特許法のプラス面とマイナス面のどちらが大きいかを実証することは難しいが、プラスがより大きいという仮定に基づいて定められている、という。その上で、同博士は、現代の産業は特許法を前提としており、現実に特許法を廃止するという選択はあり得ず、問題があるならばその解決を図るための不断の努力を重ねるほかはない、と論じている。

㈥　最後に一つの挿話を紹介したい。明治３（１８７０）年に東京に現れた人力車の発明者（三人）は特許権を与えられなかった。最初の特許法である同４（１８７１）年の「専売略規則」は翌年には廃止。同18（1885）年にそれに続き「専売特許条例」が施行されたが、近藤雅樹国立民族学博物館教授の研究によれば、その時点で既に人力車は広く普及しており、新規性なしと判断されたようである。発明者は窮乏を強いられたが、人力車は産業として発展を遂げ、明治半ばには国内の運行台数は20万台を超え重要な輸出品目となった。明治33（1900）年に政府は発明者の功績を認め一人につき200円の報奨金を与えたが、三人のうち二人は既に亡く、一人も同年中に世を去った。人力車の発明奨励に関しては、特許権も報奨金も大きな意味はなかったのかもしれない。

㉒ ライセンスしない自由？

(一) 特許権者は、特許発明を自ら利用できるし、第三者に利用させることもできる。特許権者がそのために締結する契約を実施許諾契約（ライセンス契約）といい、ライセンスを受けた者を実施権者という。

ライセンス契約の意義は、発明の利用を促進することにより、産業の発達に寄与できることにある。すなわち、発明を行う能力がない者でも、特許権者からライセンスを受けることで、特許発明を利用し生産販売を行うことができる。逆に、特許権者が設備や資金に恵まれず、自身では生産販売を行えない場合、ライセンスすることで発明の成果を世に送り出すことができる。商標と同じく、ライセンス料の額は契約による。有償でも無償でもよい。また、特許権者はライセンスの範囲（時間的・地域的・内容的な制限）を設定することもできる。時間的制限についていえば、ライセンス期間を短期間に限定することもできるし、限定しない場合には、特許権の存続期間（出願から20年）が切れるまでがライセンス期間となる。

(二) 特許法上、ライセンス契約は、①専用実施権（77条。以下、条文はすべて特許法）を与えるものと、②通常実施権（78条）を与えるものとに大別される。それぞれ、商標法における専用使用権と通常使用権に相当する（3章参照）。

両者は、契約で設定された範囲内で、実施権者が特許発明を実施できる権利である点で、共通する。基本的な相違点は、①の専用実施権は特許原簿への登録が成立要件であるのに対し、②の通常実施権は特許原簿への登録事項ではないこと、そして、①は実施権者が特許発明を独占的に利用できる権利であるのに対し、②はそうではないこと、である。

すなわち、①は、特許権者は設定の範囲内では他の者に重複してライセンスすることはできないし、特許権者自身も設定の範囲内では特許発明を実施できなくなる（68条）。要するに、専用実施権者は設定された範囲内で特許権者と同等の権利を保証され、侵害者に対して自ら差止め（100条）や損害賠償（102条）を請求することができる。

特許権者の多くはこのような強力な権利を許諾することを嫌ってか、専用実施権の実施件数はかなり少ない。企業グループ内で付与する場合など、特許権者が親密な関係にある者に許諾することが大半のようである。

次に、②については、特許権者は、設定の範囲内で、無制限に他の者に重複して実施の権利を与え得るし、自らも実施することができる。つまり、複数の実施権者が同時期に並び立つことが想定される契約形態である。また、通常実施権者は、侵害者に対して自ら差止めや損害賠償を請求することはできない。特許権侵害に対する差止めや損害賠償は、特許権者が請求する。

特許権者は、二つの契約形態のうちのどちらかを選択してライセンスすることができるし、逆に、ライセンスを求められることがあってもこれを拒絶することもできる。当然ながら特許権者もまた、取引先選択の自由の見地から、「ライセンスしない自由」が保証されるからである。しかし、「ライセンスしない自由」に対して全く法規制がないわけではなく、特許法と独占禁止法にはこれを規制するための仕組みが一応用意されている。

㈢　まず、特許法による規制は、以下の①～③の場合に、特許庁長官又は経済産業大臣が裁定し、特許権者（専用実施権者を含む。以下同じ）に対し、第三者へのライセンス（通常実施権の許諾）を強制するものである。「裁定実施制度」と称される制度であり、いずれの場合においても、ライセンスを求める者は特許権者に対し協議を求めることができ、協議がまとまらないときには、ライセンスを求める者は、特許庁長官・経済産業大臣に裁定を求めることができる（③の場合は経済産業大臣のみ）。特許庁長官・経済産業大臣は、ライセンスするよう裁定するときは、ライセンスの範囲・対価・支払方法などの詳細を定めなければならない。特許権者は、裁定に不服がある場合には、行政不服審査法・行政事件訴訟法に基づき、異議申立て・提訴をすることができる。

①　不実施の場合（83条）

特許権者が、ある特許発明を継続して3年以上国内において実施しない場合である。

②　利用関係がある場合（92条）

利用関係とは、もとになった発明と、これに改良を加えた発明との関係をいう。古谷栄男弁理士の説明を借りるならば（ウェブサイト『知的財産用語辞典』）、甲氏がストロー（もとになった発明）を発明し特許を取得した後に、乙が蛇腹をつけることで折り曲げ可能としたストロー（改良発明）を発明し特許を取得した場合を考えればよい。特許法の考え方では、乙氏は甲氏からライセンスを得られない場合には、自身の特許発明を実施できない。「特許権者…は、…その特許出願の日前の出願に係る他人の特許発明〔もとになった発明〕…を利用するものであるときは、業としてその特許発明〔改良発明〕の実施をすることができない」からである（カッコ内筆者。72条）。そこで、甲氏がライセンスしてくれない場合には、乙氏は特許庁長官に裁定を求めることができる。

③　公共の利益のため必要な場合（93条）

ある特許発明の実施が公共の利益のため特に必要である場合である。典型的には、難病の治療薬が品薄で十分に供給されないような場合である。特許権者自身が特許発明を実施していてもライセンスが強制され得る点で、①の不実施の場合の裁定とは異なる。

さて、これらの裁定実施制度はいずれも明治・大正期から存在しており、裁定請求の例は一定数ある。しかしながら、理由は不明であるが、これらの請求は裁定に至る前に取り下げられているようであり、裁定に至った例は一件もない。

(四)　独占禁止法の適用においては、公正取引委員会により、ライセンスの拒絶が違法と判断されたことがある。平成9（1997）年に、パチンコ機メーカー10社と、特許（メーカー10社が保有する特許）管理会社が、パチンコ機に関する特許権を多数所有し、そのライセンスなしにはパチンコ機を製造することが困難であったところ、第三者へのライセンスを拒絶し新規参入を制限していたことが独禁法3条（私的独占）違反とされたのが、その例である（パチンコ機特許プール事件、平9・8・6審決）。

このように、複数の特許権者間の協力関係を背景とするライセンスの拒絶は違法となり得るが、特許権者が自身の判断において単独でライセンスを拒絶することが独占禁止法違反となることは、ほぼ考えられない。独占禁止法は基本的には、市場支配力の形成や市場における競争の有意な減殺をもたらす行為を禁止するものであり、単独のライセンス拒絶がそうした効果を持つことは考えにくいからである。また、独占禁止法においてライセンス拒絶が違法と判断されても、ライセンスが強制されるわけではない。パチンコ機特許プール事件においても、公正取引委員会は、メーカーらにライセンス拒絶の方針の破棄と、方針を破棄したことの業界における周知徹底などを命じたが、ライセンスを望む者に対してライセンスを行うことまでは命じていない。

㈤　資本主義国家において、ライセンスしない自由を軽々しく規制できないのは当然である。しかし1980年代に米国に始まったプロパテント（知的財産権保護強化）の波は、今や日本にも及んでおり、昨今では行き過ぎた保護によって権利や権利者が増え過ぎてしまい、イノベーションや新たな知的財産の創造が妨げられかねないことに対する憂慮の念も生じつつあることを思えば、ライセンスしない自由をほぼ野放しのままにしておいてよいものか。知的財産権に関する制度が、社会にとって有用な知的財産の有効活用を度々妨げることになれば、本末転倒ではないか。

京都大学の山中伸弥博士（医学博士）が発明したiPS細胞（人工多能性幹細胞）について、京都大学は、その臨床応用（医薬品の開発など）の実現と産業化の促進のために、iPS細胞の作製技術などの基盤技術を確保しようとしており、平成26（2014）年3月の時点で、欧米を中心に30の国・地域で京都大学が基本特許を取得している。そして、原則として、公的機関の研究者に対しては無償で、民間企業に対しては最大でも数百万円という非常に廉価な料金でライセンスしている。

こうした取組みの背景には、山中博士の強い思いがある。同博士は、「RNA干渉」という医薬品開発に有益な新技術につき、米国のあるベンチャー企業が特許権を取得したためライセンス料が高騰してしまい有効活用されなくなってしまったことや、癌《がん》やエイズの治療薬の中には、「特許使用料が薬価にのせられ…お金持ちしか使えない高額の薬になって」いるものもあることに触れつつ〔稲盛＝山中184ページ〕、iPS細胞技術に関しては同じ轍《てつ》を踏んではならないという強い決意を示している。

山中博士と京都大学の取組みは称賛に値する。しかし、個々の研究者や研究機関の善意に期待するほかはない現状には問題があるのではないか。

23 特許権の侵害とは何か？——切餅訴訟から考える

㈠　特許の対象となるのは、医薬品などの先端的な技術を利用した発明だけではない。素人目にも、実に単純な発明に対して特許権が付与されることもある。たとえば平成20（２００８）年に越後製菓が切餅につき特許権を取得している。

この特許は、切餅の側面に1本または複数の切り込みを入れるというものであり、加熱して餅が膨張しても中身が吹き出さず、きれいに焼きあがることを目的にしている。越後製菓は、佐藤食品工業がこの特許の登録後に同じような目的で、切餅の側面に2本の切り込みを、切餅の底面と上面に大きく十文字の切り込みを入れて製造・販売したことに対して、特許権侵害に当たるとして、差止めと損害賠償を請求した。佐藤食品工業はこれを争い、裁判が繰り広げられた。

㈡　そもそも特許権侵害とは何か。特許法68条により、「特許権者は、業として特許発明の実施をする権利を専有する」。よって、第三者が、「正当な理由」なく「業として」特許発明を「実施」すれば特許権侵害となる。

まず、「正当な理由」がある場合とは、第三者がライセンスを受けた場合（特許法77条、78条。以下、条文はすべて特許法）や、「試験又は研究」を目的とする場合（69条1項）など、法律上の正当な理由がある場合である（22章、24章参照）。

次に、「業として」とは、一般に、個人的・家庭内実施を除外する趣旨であると理解されており、営利であるか非営利であるかは問題にならない。

そして、「実施」とは、特許法では、物の発明については、「生産、使用、譲渡等…、輸出若しくは輸入又は譲渡等の申出」と定義される（2条3項）。永野周志弁護士の説明を借りるならば、その本質は、「無体物である発明を有体物（実施物）として三次元空間に有形的に具現化する」ことにある（永野2ページ）。つまり、「ライトフライヤー号」はライト兄弟による発明の実施物であり、ライト兄弟による発明の本質は飛行機に関する「技術的思想」（2条1項）である。よって特許権侵害とは、本質的には、第三者が、ライトフライヤー号を模倣するのではなく、ライト兄弟の技術的思想を模倣することである。

㈢　そうすると、模倣から保護されるべき技術的思想、すなわち特許発明の範囲（特許発明の技術的範囲）をどのように画すべきであろうか？　この点につき、特許法は、前提として、発明を実施物などではなく文書で表現することを出願人に求めている。よって出願人は、願書のほか、「特許請求の範囲」（クレームと呼ばれている）、「明細書」、「必要な図面」、「要約書」を特許庁に提出しなければならない（36条2項）。

そして、70条に基づき、特許発明の技術的範囲は基本的にはクレームに基づいて、必要に応じて明細書と図面を斟酌《しんしゃく》しつつ定められるという制度設計になっている。クレームには、発明を特定するために必要な事項が記載され、明細書には、「発明の名称」、「図面の簡単な説明」、「発明の詳細な説明」が記載される（36条3項）。

かくして、これらの文書によって画定される特許発明の技術的範囲に第三者の実施品が属する場合に特許権侵害が成立するが、そのためには、第三者の実施品がクレーム所定の構成要件のすべてを満たすことが必要である。構成要件を一部でも欠く場合には特許権侵害は成立しない。これをオール・エレメント・ルールというが、このルールにつき土生哲也弁理士は次のように説明している。

ある筆記用具の特許発明のクレームが「断面が六角形の鉛筆」である場合、①「断面が六角形」、②「鉛筆」という二つの要素が、このクレームの構成要件となる。そして、第三者の実施品が、①と②の要件を共に充足する場合にのみ、特許権侵害となる。それゆえ、「断面が五角形の鉛筆」や「断面が六角形のボールペン」は特許権侵害とはならない（土生67～70ページ）。

㈣　さて、越後製菓のクレームは、次のように定められている（一部抜粋）。

「方形の…切餅の載置底面又は平坦上面ではなくこの小片餅体の上側表面部の立直側面である側周表面に、…一若しくは複数の切り込み部…を設け、…焼き上げるに際して前記切り込み部…の上側が下側に対して持ち上がり、…膨化による外部への噴き出しを抑制するように構成したことを特徴とす

る餅」（傍点筆者）

裁判では、越後製菓のクレームにつき、次の二つの解釈のいずれが正当であるかが重要な論点となった。

① 切餅の底面や上面に切り込みを入れる場合も含まれるとする解釈（越後製菓のクレームは、底面や上面に切り込みがあるか否かを問わず、側面に切り込みがある場合のすべてを想定している）。

② 底面や上面に切り込みを入れる場合は含まれないとする解釈（越後製菓のクレームは、底面や上面に切り込みがなく、側面にのみ切り込みがある場合を想定している）。

①をとるならば佐藤食品工業の行為は侵害となり、②であれば侵害とはならない。第一審の東京地裁（平22・11・30）と第二審の知財高裁（平23・9・7）では判断が分かれ、東京地裁は②の立場に立ち、佐藤食品工業による侵害なしと結論。知財高裁は、①の立場に立ち、侵害ありと結論した。判断のポイントは、明細書などの斟酌の仕方のほか、クレームの傍点部の理解の仕方であった。

東京地裁は、仮にクレームの趣旨が①であるならば、「底面又は上面ではない側周表面」といった表現とすべきであったと評している。他方、知財高裁は、「載置底面又は平坦上面ではなく」という記載部分の後に読点が振られることなく記述が続いていることに鑑みれば、この記載部分は切り込み箇所が側面であることを明確にするために「側周表面に、」を修飾していると判断した。そして、クレームの趣旨は、切り込みを側面に入れるべきことを明確にすることにあり、底面や上面に切り込みを入れることを除外するものではないと結論した。なお、最高裁は平成24年9月19日に知財高裁の判断を支持する決定を下している。

一審と二審の解釈のいずれが正当であるかは別として、特許の技術的範囲を画定するためにはクレームに依拠する必要があり、そのためには法令や契約の解釈と同じく、クレームの文言を微に入り細を穿《うが》つように解釈することが求められるというわけである。

(五) このように特許権侵害は、クレームの文言の解釈によって判断されることが原則であり、かかる原則的なタイプの特許権侵害のことを「文言侵害」という。

しかしながら文言侵害の有無によって特許権侵害の成否を判断することには問題もある。切餅の切り込みのような単純な発明はともかくとして、高度な発明や複雑な発明になると、先端的な技術や数多くの素材を用いるようになるため、特許出願の段階で将来のあらゆる侵害態様を予想してクレームを定めることは難しくなる。そして、第三者が、クレームの構成要件の一部を、特許出願後に開発された技術や素材などに置き換えることで、特許権者による権利行使から容易に逃れることができるとすれば、発明の保護を通じて産業の発達に寄与するという特許法の目的に反する。

そこで、判例上、クレームの構成要件と相違する部分があっても実質的に特許発明と均等であると認められる場合には特許権侵害となり得るとされている。この種の侵害は「均等侵害」と称される。その成立は、①相違部分が特許発明の本質的部分ではないこと、②相違部分を実施品におけるものと置き換えても、特許発明の目的を達することができ、同一の効果を得られることなどが要件となる（最判三小平10・2・24）。

たとえば、あるエア・マッサージ機の特許のクレームでは空気袋を用いるべきことが定められていたところ、空気袋に換えてチップウレタン（クッションなどに用いられる素材）などを用いた椅子式マッサージ機につき、東京地裁は、特許発明と椅子式マッサージ機は均等であり、特許権侵害が成立すると結論している（平15・3・26）。

(六)　なお、文言侵害と均等侵害のほかに、「みなし侵害」という第三のカテゴリーの特許権侵害もある。特許発明を実施する行為そのものではなく文言侵害には当たらないが、侵害の予備的行為と位置付けられるため、特許法上、特に侵害と見なされるべきものとして定められている行為である（１０１条1号～6号）。「特許が物の発明についてされている場合において、業として、その物の生産にのみ用いる物の生産、譲渡等若しくは輸入又は譲渡等の申出をする行為」（１０１条1号）などがこれに当たる。エンジンが特許されている場合において、そのエンジンの部品としてのみ用いられるシリンダーやピストンなどを製造する行為を想定すればよいであろう。

24 特許と医薬品――ジェネリック医薬品、オプジーボ

㈠ 特許法は産業の発達を最終的な目的とする。それゆえに発明の公開という考え方が大原則となる。しかるに産業の発達を図る上では、発明を公開し、明細書や図面などの特許発明の情報をネット上で公開するだけでは十分ではない。更なる技術の進歩のためには、発明の改良などを目的とする、第三者による試験や研究が容認されなければならない。そのために、特許法は69条1項で、「特許権の効力は、試験又は研究のためにする特許発明の実施には、及ばない」（傍点筆者）と定めている。この仕組みは、とりわけ医薬品の開発において重要な意味を持っている。試験は、医薬品の発明において欠かすことができないからである。

㈡ ところで、医薬品の製造販売や、そのために行われる各種の試験については、特許法とは別に、「医薬品医療機器法」（旧薬事法）に基づき、厚生労働省による厳格な規制が施されている。

まず、新薬は、医薬品の成分発見や創薬から、動物実験、治験、承認申請、審査を経て、厚生労働省による製造販売承認を受けて発売に至る。医療ジャーナリストの内田伸一氏によれば、創薬から承認までに10年程度の期間を要することが多いようである。

新薬メーカーは、以上の作業と並行して特許権の取得を目指すことになるが、特許権を取得すること

ができても、厚生労働省の承認を得られなければ、医薬品の製造販売はできない。そして、特許出願は、通常、動物実験などを始める前の段階で行われるであろうから、首尾よく特許権を取得できたとしても、特許期間（特許の出願から20年）のうち、最初の10年程度は厚生労働省からの承認待ちの期間となってしまうこともある。そうすると、新薬メーカーが特許権を取得できたとしても、医薬品を独占的に製造販売することができるのは、実質的に10年以下ということになってしまう。

他方、ジェネリック医薬品（後発医薬品）はやや様相を異にする。ジェネリック医薬品とは、新薬（先発医薬品）の特許が切れた後に、他のメーカーが公開された特許情報を利用して製造する、いわばコピー商品である。ジェネリック医薬品は、新薬と同一の有効成分を同一量含有しており、効能・効果や用法・用量も基本的には変わるところはない。よって開発費をかけずに同じものを製造できるため、新薬に比して大幅に安価となる（おおむね4割安といわれる）。

無論、ジェネリック医薬品といえども、販売のためには厚生労働省の承認を得る必要がある。安全性や有効性の審査は不要であるが（既に新薬の審査の際に証明されているため）、新薬との同等性を確認するための審査にはパスする必要がある。また、ジェネリック医薬品メーカーが新薬の特許切れ後、直ちに製造販売を始めようとするのであれば、新薬の特許期間中に必要な試験を行い厚生労働省の承認を得ておく必要がある。

㈢　なお、「試験又は研究」という名目で行われる行為が、すべて免責されるわけではない。特許法の立法趣旨に鑑みて、「試験又は研究」とは、基本的には技術の進歩を目的とするものに限られると考えられている。よって、技術の改良を目的とする場合には「試験又は研究」に該当することには異論はない。しかし、市場調査のために商品をテスト販売するなどの行為は、「試験又は研究」には該当せず免責されない。

ジェネリック医薬品については、ジェネリック医薬品メーカーが、製造販売承認を得るための試験を、新薬の特許切れ前に行う場合、①「試験又は研究」に当たらず特許権侵害となるか、②「試験又は研究」に当たるものとして免責されるか、が問題となる（特許切れ後に行う試験であれば、問題とならない）。

①を是とする立場は次のようなものである。ジェネリック医薬品の製造販売承認を得るために行う試験は、新たに技術の発展をもたらすものではない以上、これを免責する必要はなく、特許権侵害に当たると見るべきである。

この立場を支持する裁判例もある。医薬品ではなく農薬に関する事件であるが、東京地裁は、「試験又は研究」とは技術の進歩を目的とするものに限定されるという認識に立ち、除草剤の農薬登録を得るための試験は、新たな除草剤を開発するものではなく、「試験又は研究」に該当しないと判示している（昭62・7・10）。

しかし最高裁は、次のように論じて、②の立場に立つことを明言している（最判二小平11・4・16）。

製造販売承認を得るための試験が「試験又は研究」に該当しないとするならば、新薬の特許切れ後、第三者が直ちにジェネリック医薬品を製造することが不可能となる。そうなれば、特許切れ後も新薬メーカーはかなりの期間にわたり引き続き独占を享受することが可能となり、実質的に、特許期間が延長されるに等しいことになってしまい、特許制度の趣旨にもとる。

この判決は、ジェネリック医薬品メーカーの早期の製造販売と、薬価の引き下げを促すことを念頭に置く司法判断であるといってよさそうである。この判決に基づき、ジェネリック医薬品メーカーは安心して新薬の特許切れ前に「試験又は研究」に励んでいるわけである。

㈣　さて、改めて確認すると、医薬品については、特許権を取得できても、厚生労働省の承認がなければ発売できず、承認を得るためには相当の期間を要す。よって、20年間の特許期間から、承認されるまでの期間を引いた残りの期間が、独占的に製造・販売できる期間となるが、これでは特許権者が気の毒であるということで、特許法には特許期間の延長制度が設けられている（67条2項）。この制度の下では、医薬品と農薬に限って、特許庁に延長登録出願をすることで5年を限度に延長することができる。よって特許期間は最大で25年間ということになる。

しかし延長が認められたとしても、発売から特許切れまで10年に満たないことも珍しくないようである。特許が切れると薬自体の値段も下がるため、新薬メーカーは特許切れまでの短い期間内に、新薬開発に投じた費用を回収しなければならない。前出の内田氏によれば、新薬の開発には３００億円程度の額を要することは通例であるという。また、失敗に終わった研究開発に投じた費用も回収しなければならない（成功の確率は実に3万分の1という）。そして、次の新薬開発のための費用を捻出しなければならない。こうした事情に接すれば、医薬品は、一定期間技術の独占を許すことで発明を奨励する、という特許法の理念がひときわ強く妥当する分野であることが理解される。

しかし、医薬品の独占には問題もある。医薬品の高額化である。たとえば近年、小野薬品工業が発売したオプジーボ（皮膚癌と肺癌の治療薬）は、従来の抗癌剤を大きく上回る効能を示しており、各方面から高く評価されているが、平成28（２０１６）年時点で、１００ミリグラム当たりの薬価は約73万円。体重60キロの患者がオプジーボを使うと1年（26回）に３５００万円かかる。患者の負担は、「高額療養費制度」により月8万円程度で済むが、残りは患者が加入する医療保険と国や自治体の公費から賄われる。オプジーボが適用される肺癌患者は年10万人強。うち5万人がオプジーボを1年使えば、年1兆７５００億円。日本の年間医療費約40兆円のうち約10兆円の薬剤費が、約2割増しとなる。里見清一博士（医師）は、「この一剤を契機にして、国が滅びかねない」と評している（産経新聞平成28年5月6日電子版）。

㈤　オプジーボの開発を主導した本庶佑博士（ノーベル医学生理学賞受賞）は、「癌が不治の病でなくなるのは数年後。遅くても10年以内にはそうなる」と予言する（日経産業新聞平成28年1月11日）。この言葉に励まされた人がどれほど多くいることか。医学者や新薬メーカーには、優れた新薬を開発し、本庶博士の予言を実現し、多くの人々の期待に応えてもらいたい。しかしながら、癌に打ち勝つための新薬が今後登場するとしても、おそらく安価ではない。それだけにジェネリック医薬品メーカーの尽力に期待したいところではあるが、医薬品が高度化するにつれ、コピーは難しくなるようである。そのことを思えば、そしてまた、今後も続々と高額な新薬が出現するならば、ジェネリック医薬品メーカーの尽力のみでは、いかんともしがたい深刻な財政状況が到来するかもしれない。

㈥　里見博士は、「増え続ける医療費、という問題は万国共通であり、全世界に命の値段はいくらかという命題がのしかかっている」という重い問題を提起している。同博士はまた、命の選別が進み、「元気になって稼げる人間を、助かっても金がかかるだけの人間より重視」する社会になることを危惧しつつ、今後の方向性として、尊厳死の権利が注目されることになる、という見通しを示している〔里見103ページ〕。尊厳死は、自己決定の権利の延長線上にあるため、現代社会の価値観と整合し得るからである。

こうしたことを考える時、私は「鎌倉時代のマザーテレサ」と称される、鎌倉時代の僧、忍性《にんしょう》に思いを馳《は》せる〔松尾206ページ〕。忍性はその師である叡尊《えいそん》の「一切衆生は皆、同一仏性なり、何の差別かあらん」という教えを受け〔同36ページ〕、生涯を通じて病者を救い続けた。松尾剛次博士の研究によれば、忍性は、ハンセン氏病患者に対しても患部に自ら薬を付けるなど直接的な看護にも従事していたという。忍性には命の選別という発想はなかったように思える。日本が尊厳死の法制化などにつき検討を開始し、尊厳死を正面から認める社会になる上では、忍性のような偉大な先人の精神に学びつつ、国民同胞を無差別に支える気持ちを喚起することが前提となるであろう。病者に対して尊厳死を選ぶべしとの圧力がかかるようになっては困るからである。

25 日米の産学連携

㈠　一国の経済の浮沈に影響を及ぼすのは、ローテクではなく、やはりハイテクにおけるイノベーションであろう。そこで、ハイテクのイノベーションを促進するために、近年、世界的にハイテク分野での産学連携が加速しているが、産学連携をめぐってはその先導役である米国において、俗に利益相反といわれる不適切な事態が幾つも生じている。ここではクリムスキー博士の報告などによりつつ、利益相反に関する代表的な事件を二つ概観してみたい。

まず、ムーア事件である。白血病患者であるジョン・ムーア氏は、1976年にカリフォルニア大学で脾臓《ひぞう》の一部を摘出する手術を受けた。その過程で、ムーア氏の脾臓細胞が特異なものであり、商業的価値があることが判明。大学と医師はムーア氏に無断で同氏の細胞株を培養し、特許を取得。後にこれを製薬企業にライセンスし、大学と医師には数十万ドルが支払われた。その後、ムーア氏は、大学と医師が大儲《もう》けしていたことを知り、収益の分配を求めて大学と医師を提訴。1990年にカリフォルニア州最高裁は、大学側のインフォームドコンセントの不備を認めつつも、「献体者は体から取り出された組織の所有権は持たない」と論じて、ムーア氏を敗訴させた。

次に、ゲルジンガー事件である。ジェッセ・ゲルジンガー氏は、1999年にペンシルバニア大学において、ある種の遺伝子疾患の治験治療を受けた。医師は、遺伝子を体内に運ぶ特殊なウイルスを用いて遺伝子をゲルジンガー氏の体内に挿入。同氏はそのウイルスの感染により数日後、死亡。この死亡事故には次のような問題があった。

第一に、ゲルジンガー氏の病状はごく軽い症状であったが、医師はあえて遺伝子治療を行い、かつ、毒性が強い（動物実験で死亡例あり）ウイルスを用いていた。第二に、医師は、ウイルスに関する特許権を保有していたほか、研究を後援する製薬企業のストックオプション（１３５０万ドル相当）を保有していた（大学は１４０万ドル相当を保有）。この企業は、医師が設立した企業であり、研究の商業的成果を得る見返りとして、２５００万ドルの研究費の5分の1を拠出していた。そして、ゲルジンガー氏はこれらの事項につき説明を受けていなかった。患者の遺族は大学に対して提訴したが、和解で決着した。

(二)　こうした米国の深刻な不祥事に接すると、産学双方の腐敗を招きかねないならばあえて米国に倣い連携を深める必要はないという論も出てきそうである。しかしながら、近年の日本は、国策として産学連携の推進を進めている。産学連携の代表的な主唱者の一人である西村吉雄博士は、研究開発の主要な担い手は、歴史的に個人発明家→大企業→大学へと移行してきたという認識に基づき、以下のように論じて、日本が産学連携に後れをとった経緯を説明している。

そもそも米国の19世紀から20世紀にかけての電話、レコード、白熱電球、無線通信といった画期的な発明のほとんどは個人発明家の業績であったが、一次大戦前後から自ら大規模な研究所を構え研究開発を行う企業が増え、企業研究所からナイロン（デュポン）、トランジスタ（AT&T）といったノーベル賞級の研究業績も現れた。米国企業は、基礎研究から得られた自社開発技術を独占的に商品化することで、莫大《ばくだい》な利益を得るようになった。しかし1970年代から、米国の大企業は、徐々に基礎研究から手を引き事業密着型の研究を重視するようになった。理由の一つは産業構造の変化にある。つまり、情報産業が主役の時代となり、製品は様々な要素技術が複雑に組み合わされた、いわゆるシステムとなったため、分業の必要性が高まり、基礎研究→開発→生産→販売のすべてを一企業が自ら行うことが非効率となった。インテルは1968年の創業以来、研究所を設置せず、マイクロプロセッサも製造現場での発注者とのやり取りの中から生まれた。この方式で手に負えない問題があれば大学に頼ってきた。こうして、大学に基礎研究を通じての新産業創出が期待されるようになり、産学連携が拡大していった。象徴的な成功事例は、1980年前後のスタンフォード大学における遺伝子組換え技術の開発とその技術移転である。1997年に特許切れとなるまでに450以上の企業にライセンスされ、2億5000万ドル以上のライセンス収入を大学にもたらしたという。

このような変化に日本は鈍感だった。1980年代のバブルの時代、「キャッチアップは終わり。これからは基礎研究だ」（西村74ページ）。「大学頼むに足らず。ノーベル賞志向の研究も企業が担う」（同14ページ）。こうした掛け声のもと基礎研究を強化し、米国とはほぼ正反対の方向に向かったが、バブルがはじけた後は、米国の後を追うように基礎研究の縮小が続き産学連携を模索する動きが強まった。

㈢　その中で模倣された米国の制度が、ＴＬＯ（Technology Licensing Organization：技術移転機関）と、バイ・ドール法である。

まず、ＴＬＯとは、大学の研究者の研究成果を特許化し、それを企業へライセンスすることを目的とする組織である。１９６８年にスタンフォード大学で設置されて以来、米国各地の大学で同様の組織が設置されるようになった。日本では、ＴＬＯの設立を支援する「大学等技術移転促進法」が平成10（１９９８）年に制定され、政府の承認・認定を受けた場合には（令和元（２０１９）年5月20日現在で、35団体）、特許料などの減免や、独立行政法人中小企業基盤整備機構の債務保証などの特典を受けることができる。

次に、バイ・ドール法とは、バーチ・バイ、ロバート・ドール両上院議員が１９８０年に成立させた法律であり、政府資金による研究開発から生じた発明に関する権利（特許など）につき、国ではなく、大学や企業などに帰属させることを内容とする。日本では、平成11（１９９９）年制定の「産業活力再生特別措置法」に同様の条項が設けられた（平成19（２００７）年に、産業技術力強化法に移管）。俗に日本版バイ・ドール法という。同法施行前は、財政法により、国の資金を原資とした委託研究開発の成果はすべて国に帰属することになっていた。

㈣　ところで、大学技術移転協議会の調査によれば、平成29（２０１７）年度で、大学などの研究機関のライセンス収入は、日本が47億7000万円であるのに対し、米国は27億6100万ドル。同じ年度で、大学などの発明の商品化件数は、日本は250件。米国は755件。大学発ベンチャー企業数は、日本は77件。米国は1080件。米国に倣い、民間への技術移転と、技術の実用化を促進するための法整備が行われはしたが、今も米国との差は大きい。

また、経済産業省の調査によれば、平成29年における、大学などで用いられている研究開発費（自然科学と社会・人文科学の計）のうち企業が負担する割合は、日本では2・9％、米国では5・3％である（ドイツでは13・8％、中国では30・8％）。こうして見ると、日本の大学は世界的に見て、国内の企業からあまり頼りにされていないようである。

日本知的財産協会によれば、日本企業が日本の大学との共同研究につき特に不満を感じているのは、共同研究の成果である共有特許を企業が実施しない場合、不実施につき補償料の支払いを要求する大学が多いことである。企業からすれば、共同研究にあっては通例、研究費などを負担させられるが、その上、不実施補償まで支払わされることには釈然としないものを感じており、また、大学が発明実施のリスクやコストを負担せずリターンだけを得ようとすることなどを、不公平と感じているようである。

これに関連して、羽鳥賢一慶應義塾大学教授によれば、日本の共同研究では共有特許となることが多いが、米国の共同研究では大学単独の特許になることが多いという。そして米国では、スポンサー企業が大学からライセンスを受けるという形になるようである。

共有特許について両国の制度を比較すると、米国特許法262条では、各々の共有特許権者は、特約がない限り、他の共有者の同意がなくても持分の譲渡やライセンスが可能となっている。よって共有特許のままでは特に企業にとってリスクが高いので、大学に帰属させることになる。他方、日本の特許法第73条では、特約がない限り、他の共有者の同意がなければ譲渡もライセンスもできない。

そこで、羽鳥教授は、日本でも米国のように、共同研究の成果である特許を一方当事者のみに帰属させることを提案している。日本でも、当事者間の特約で相手方に持分を譲渡することは可能だからである。こうすることで共有特許の不実施補償に関する交渉も回避できるかもしれない。

いずれにしても、日本において米国並みの産学連携を実現することは容易ではなさそうである。今後も、両国の法制度や法文化の微妙な相違を確認し、日本において産学連携を阻む要因を見つけ出し、少しずつ改善を図っていく必要があるだろう。

26 特許権者はつらいよ――特許をとっても安心できない

(一) 発明者には特許権を得るまでに様々な苦労がある。出願から特許権の設定登録まではかなりの時間がかかるし、出願人は審査請求の後も度々、特許庁との間でやり取りを行う必要もある。というのも、出願人の多くはすぐに色よい返事をもらえるわけではなく、特許庁の審査官から少なくとも一度は拒絶理由通知を交付されることが多いからである。この場合、出願人は、一定期間内(通常は60日以内)に意見書の提出や補正(出願書類の修正)を行わなければならない。

その結果、拒絶理由が解消すれば、審査官は特許すべき旨の査定(特許査定)を行う。査定とは審査段階での最終決定である。逆に、拒絶理由が解消しなければ、拒絶すべき旨の査定を行う(拒絶査定)。拒絶理由は特許法に明示されており、新規性や進歩性を欠くことなどである(特許法49条。以下、条文はすべて特許法)。

出願人が拒絶査定を受けた場合、特許庁長官に対し拒絶査定不服審判を請求できる。審判官が、請求に理由ありと判断する場合には特許すべき旨の審決(特許審決)が下される。逆に、請求に理由なしと判断するならば拒絶すべき旨の審決(拒絶審決)が下される。

出願人は、拒絶審決に対しては、知財高裁に審決取消訴訟を提起できる。

(二) 以上の手続きの流れを、上述(23章)の越後製菓が取得した切餅の特許権を例にして、概観してみたい。
平成14(2002)年10月31日に出願。平成17(2005)年5月27日に拒絶理由通知。同年8月1日に意見書提出と補正。同年9月21日に再度の拒絶理由通知。同年11月25日に再度の補正。

しかるに特許庁は、平成18(2006)年1月24日に拒絶査定。そこで、越後製菓は同年2月27日に拒絶査定不服審判を請求。平成20(2008)年3月24日、審判官は拒絶査定を取り消し、特許審決。越後製菓は特許権を得る運びとなった。設定登録は同年4月18日(特許査定の後、特許料の納付を待って特許権が設定登録される)。
(三) しかしながら、晴れて特許権を取得した後も越後製菓の苦労は続いた。発明者は、ライバル企業などからの無効審判請求のゆえに、特許権を得ても安心することはできないのである。無効審判とは、新規性がないなど本来であれば特許に値しない発明を審査官が誤って特許した場合に、これを消滅させるための手続きであり、利害関係人(ライバル企業など)の請求で開始される審判である。審判官が特許法所定の無効理由(無効理由は拒絶理由とほぼ同じ。123条1項)なしと判断する場合は、維持審決。逆に、無効理由ありと判断する場合は、無効審決が下される。その場合は、特許権は初めから存在しなかったことになる。審決に不満がある場合には、利害関係人(無効審判請求者)も、特許権者も、知財高裁に審決取消訴訟を提起できる。

さて、越後製菓は特許権を得て以来、次のように、ライバル企業である佐藤食品工業から頻繁に無効審判請求を仕掛けられている。

○平成21（２００９）年7月31日に1回目の審判請求。平成22年6月8日、維持審決。平成23年9月7日、知財高裁が請求棄却（佐藤食品工業、審決取消訴訟を提起。敗訴）。平成24年3月23日、最高裁が佐藤食品工業の上告を棄却

○平成24年5月2日に2回目の審判請求。平成25年3月6日、維持審決。同年12月24日、知財高裁が請求棄却（佐藤食品工業、審決取消訴訟を提起。敗訴）。平成26年5月13日、最高裁が佐藤食品工業の上告を棄却

○平成24年12月27日に3回目の審判請求。平成25年9月11日、維持審決。平成26（２０１４）年4月9日、知財高裁が請求棄却（佐藤食品工業、審決取消訴訟を提起。敗訴）

佐藤食品工業が無効審判請求を繰り返しているのは、異なる証拠と理由に基づくのであれば、同一人が同一の特許権に対して何度でも無効審判を請求できるからである（１６７条）。そして、無効審判請求には期間の制限がなく、特許権者は特許権消滅後であっても、存続していた時の侵害に対して損害賠償を請求できるので、その対抗手段として利害関係人は特許権消滅後も無効審判を請求できる（１２３条3項）。

なお、越後製菓は、佐藤食品工業以外の同業3社（たいまつ食品など）からも無効審判を請求されて

いる（平成24年3月30日、無効審判請求。平成25年1月29日、維持審決。同年11月12日、知財高裁が請求棄却）。

㈣　ところで、特許権を消滅させるための手続きとしては、特許審判のほかに、特許異議申立てという制度もある。特許権を消滅させる手続きであることや、審判官が審理と審決を行うことなどは、無効審判と共通する。ただし、申立ての期限があること（特許掲載公報発行から6か月）、何人も異議を申し立てることができること（利害関係は不要）、書面審理のみであること（無効審判は原則として口頭審理が中心）などの点において無効審判との違いがある。

審判官は、特許法所定の異議理由（拒絶理由とかなり重複する。113条）ありと判断するときは特許権の取消しを決定する。特許権者が取消決定に不服がある場合には、知財高裁に提訴できる。

逆に、審判官は、異議理由なしと判断するならば特許権の維持を決定するが、異議申立人は、特許維持の決定に不服があっても知財高裁に提訴することはできない。しかし、利害関係があれば無効審判を請求できる。つまり、同一人が、異議申立てと無効審判請求の二つの手続きを行うこともできる。

この制度は平成26（2014）年の法改正で導入されたものである。無効審判は訴訟に類似する手続きであり信頼性が高いが、中小企業などが請求するには負担が重く、近年は請求件数が頭打ちであった。そこで、より簡便な手続きを導入することが狙いの一つであった。

㈤　特許権の有効性は、侵害訴訟（特許権者が侵害者に対して、差止めや損害賠償を求めて提起する訴訟）でも問題となり得る。侵害訴訟の被告（侵害者）は、特許権者に対抗するために、そもそも特許権が無効であるため権利侵害は成立しないと主張できるからである。

明治以来近年まで、侵害訴訟で、被告が特許権の有効性について争うことはできなかった。特許権の有効性について、特許庁と裁判所とが異なる判断をすることは好ましくないという見地から、この問題についての判断は特許庁のみが行うべきと考えられていたためである。それゆえ、侵害訴訟の被告は、無効審判において無効審決を得るまでは、訴訟の中では無効を主張できなかった。しかしながら、こうした事情が侵害訴訟の長期化の一因であると考えられたため、平成16（2004）年の特許法改正により、侵害訴訟の中で裁判所が特許権の有効性について判断できることになった（104条の3）。

さて、越後製菓と佐藤食品工業（侵害訴訟の被告）は、以上に見た無効審判と同時期に、侵害訴訟の場でも激しく争っており、佐藤食品工業は、侵害訴訟の中でも問題の特許権が無効である旨を主張している。東京地裁は、特許権の有効性判断には踏み込まず、侵害なしとして佐藤食品工業を勝訴させた。ところが知財高裁（控訴審）は、特許権は有効でかつ侵害ありと論じて、越後食品を逆転勝訴させた。最高裁は知財高裁を支持している。

㈥　このように、現行制度では、特許権の有効性判断について、特許庁での手続き（無効審判と異議申立て）と、裁判所での侵害訴訟の双方が用意されており、これを俗にダブルトラック（二重路線）という。かくして特許権者は、従来どおり、延々と続く無効審判という負担に加えて、侵害訴訟の中で特許権を無効と判断されるリスクを背負っている。特許権者は、越後製菓のように、無効審判と侵害訴訟の双方で全勝しなければならず、結果的に特許権者に不利な制度になっているともいえそうだ。そのためダブルトラックには批判も多く、たとえば元特許庁長官の荒井寿光氏は、「特許は侵害し得、侵害され損の状態」になっており、「裁判所で特許が無効と判断される事件が続き、特許権者が国内で裁判を起こさない機運が出て」きていると論じている〔荒井＝馬場139ページ〕。

そもそも特許権が対象とする発明は、有体物と異なり内容や範囲が判然としない。それゆえ、特許庁が不適切な判断を行うことがないよう、権利の付与のための慎重な手続きが必要であるし、不適切な判断があった場合にこれをただすための手続きも必要である。しかしながら、そうした手続きの整備が行き過ぎれば、発明者が、特許権を無効とされるリスクに怯《おび》え、特許権の安定性に疑念を持つようになるのではないか。その結果、出願や訴訟を回避する傾向が高まれば、特許制度の発展にとって好ましいことではないであろう。

〈参考・引用文献〉

〔1章〕

○井上光貞ほか『日本思想体系3　律令』（岩波書店、1976）

○小野昌延＝三山峻司『新・商標法概説　第2版』（青林書院、2013）

○小島庸和『商標と法の研究』（五絃舎、2018）

○佐竹昭広ほか『新日本古典文学大系　萬葉集2』（岩波書店、2000）

○高橋克也「福砂屋のカステラ」粟津則雄ほか『カステラ文化史全書』208ページ（平凡社、1995）

○松本重敏『特許権の本質とその限界―特許法と倫理』（有斐閣、2005）

〔2章〕

○青木貞茂『キャラクターパワー　ゆるキャラから国家ブランディングまで』（NHK 出版、2014）

○荒俣宏『広告図像の伝説』（平凡社、1989）

○磯村政富『日本登録商標大全』（東京書院、1905）

○Douglas McGray（2002）. "Japan's Gross National Cool." Foreign Policy May–June 2002 : 44–54.

〔3章〕

○金井重彦ほか編『商標法コンメンタール』（レクシス・ネクシスジャパン、2015、松井宏記執筆部分）

○ケン・ベルソン＝ブライアン・ブレムナー『巨額を稼ぎ出すハローキティの生態』（東洋経済新報社、2004）

○高部眞規子編『著作権・商標・不競法関係訴訟の実務　第2版』（商事法務、2018、鈴木わかな執筆部分）

○森岡大地「企業研究　サンリオ（キャラクタービジネス）キティは仕事を選ばない」日経ビジネス1691号44ページ（2013）

〔4章〕

○江口俊夫『ブランド面白情報』（発明協会、1983）

○棚橋祐治　監修『ブランド管理の法実務』（三協法規出版、2013、笹野拓馬執筆部分）

○松田治躬「氷山の一角『氷山事件』は怒っている」月刊パテント58巻9号52ページ（2005）

〔5章〕

○中川隆太郎「ブランドマネジメントの現場における商標パロディ対応策」ビジネスロージャーナル10巻1号22ページ（2017）

○松村信夫＝赤松俊治「パロディ商標と商標の登録要件　フランク三浦事件を題材に」知財管理67巻2号223ページ（2017）

○横尾和也「フランク三浦事件判決」知財ぷりずむ168号21ページ（2016）

〔6章〕

○特許庁総務部総務課制度改正審議室『平成17年　商標法の一部改正　産業財産権法の解説』（発明協会、2005年）

〔7章〕

○荒木雅也「地理的表示の目的と役割」時の法令1962号60ページ（2014）

○荒木雅也「地理的表示の活用と地方創生」ウェブ版国民生活42号11ページ（2016）

○河野英仁『中国商標法の解説　第3次改正対応版』（発明推進協会、2015）

○日本貿易振興機構北京事務所「中国における日本の地名等に関する商標出願・登録の調査結果（2019年度第1回）」（2019）

○European Commission（2017）. "100 European GeoGraphical indications set to be protected in China–press release 2 June 2017"

〔8章〕

○首藤佐智子「商標の普通名称化問題における言語学的論点」社会言語科学7巻2号14ページ（2005）

○田村善之「招福巻が普通名称に該当するとした判決」知的財産法政策学研究29号279ページ（2010）

○田村善之「普通名称と記述的表示」知的財産法政策学研究37号151ページ（2012）

〔9章〕
○小野昌延＝三山峻司編『新・注解商標法〔上巻〕』（青林書院、2016、田倉整・高田修治執筆部分）
〔10章〕
○飯島虚心『葛飾北斎伝』（岩波書店、1999）
○小野昌延＝三山峻司編『新・注解商標法〔上巻〕』（青林書院、2016、小野昌延・小松陽一郎執筆部分）
○山田威一郎「歴史上の人物名からなる商標の公序良俗違反該当性―北斎事件」知財管理63巻9号1471ページ（2013）
〔11章〕
○小野昌延＝三山峻司編『新注解商標法〔上巻〕』（青林書院、2016、小野昌延・小松陽一郎執筆部分）
○金井重彦ほか編『商標法コンメンタール』（レクシスネクシスジャパン、2015、井関涼子執筆部分）
〔12章〕
○金井重彦ほか編著『商標法コンメンタール』（レクシスネクシス・ジャパン、2015、山根崇邦執筆部分）
〔13章〕
○松本肇『ホームページ泥棒をやっつける』（花伝社、2006）
〔14章〕
○浅岡邦雄「明治期出版をめぐる権利と報酬」江戸文学42号123ページ（2010）
○市古夏生「江戸から明治に至る版権と報酬の問題」江戸文学42号4ページ（2010）
○倉田喜弘『著作権史話』（千人社、1980）
○酒井麻千子「19世紀後半における写真保護法規の検討」マス・コミュニケーション研究83号115ページ（2013）
○森田峰子『中橋和泉町松崎晋二写真場』（朝日新聞社、2002）
○山本信男「明治初年の出版法規について」早稲田大学図書館紀要7号10ページ（1966）
〔15章〕
○伊藤信夫『著作権100年史年表』（第一法規、1969）
○佐々木隆『明治人の力量　日本の歴史21』（講談社、2002）
○高倉成男『知的財産法制と国際政策』（有斐閣、2001）
○宮澤溥明『著作権の誕生　フランス著作権史』（太田出版、2017）
○宮田昇『翻訳権の戦後史』（みすず書房、1999）
○宮田昇『新・翻訳出版事情』（日本エディタースクール出版部、1995）
○陸奥宗光『蹇々録』（岩波書店、1983）
○明治ニュース事典編纂委員会『明治ニュース事典第5巻　明治26年―明治30年』（毎日コミュニケーションズ、1985）
○山田奨治『日本文化の模倣と創造　オリジナリティとは何か』（角川書店、2002）
〔16章〕
○文化庁『著作権テキスト　初めて学ぶ人のために（平成30年度5月版）』（2018）
〔17章〕
○加戸守行『著作権法逐条講義　6訂新版』（著作権情報センター、2013）
○中山信弘『著作権法　第2版』（有斐閣、2014）
〔18章〕
○大谷卓司『情報倫理―技術・プライバシー・著作権』（みすず書房、2017）
○加戸守行『著作権法逐条講義　6訂新版』（著作権情報センター、2013）
○倉田喜弘『著作権史話』（千人社、1980）
○佐佐木信綱『日本歌学大系　第3巻』（風間書房、1956）
○ロバート・P・マージェス（山根崇邦ほか訳）『知財の正義』（勁草書房、2017）
〔19章〕
○尼ヶ崎彬『日本のレトリック』（筑摩書房、1988）
○中村勝彦「Q41　引用⑴」TMI総合法律事務所編『著作権の法律相談Ⅰ』313ページ（青林書院、2016）

○雪丸真吾「Q12　総合考慮説か２要件説か」北村行夫＝雪丸真吾編『Q&A引用・転載の実務と著作権法　第４版』11ページ（中央経済社、2016）
〔20章〕
○池田信夫「『オンデマンド』に進化するテレビを訴訟で妨害するテレビ局」ニューズウィーク日本版ウェブサイト、2010年12月16日
〔21章〕
○近藤雅樹『ぐうたらテクノロジー』（河出書房新社、1997）
○中山信弘『特許法　第４版』（弘文堂、2019）。
○ミケーレ・ボルドリン＝デイヴィッド・K・レヴァイン（山形浩生ほか訳）『反知的独占―特許と著作権の経済学』（NTT 出版、2010）
〔22章〕
○内田伸一『医薬品業界　特許切れの攻防　後発 vs 新薬　激戦地図』（ぱる出版、2014）
○里見清一『医師の一分』（新潮社、2014）
○曽野綾子＝里見清一「対談　曽野綾子VS.里見清一　夢の薬をみんなで使えば国が持たない」週刊新潮61巻18号54ページ（2016）
○染野啓子「試験・研究における特許発明の実施Ｉ」AIPPI　33巻３号５ページ（1988）
○松尾剛次編『持戒の聖者　叡尊・忍性』（吉川弘文館、2004）
〔23章〕
○稲盛和夫＝山中伸弥『賢く生きるより辛抱強いバカになれ』（朝日新聞出版、2014）
○中山信弘『特許法　第４版』（弘文堂、2019）
○西岡泉『誰も書かなかった知的財産論22のヒント』（静岡大学出版、2010）
〔24章〕
○生田哲郎＝池田博毅「均等論の適用が認められた事例　平成15年３月26日東京地裁判決（29部）平成13年（ワ）第3485号事件」発明100巻10号97ページ（2003）
○加藤浩「特許請求の範囲の用語の解釈によって特許侵害の判断が相違した事例（知財高判平成23年９月７日（中間判決）、平成23年（ネ）第10002号）（原審：東京地判平成22年11月30日、平成21年（ワ）第7718号）」日本大学知財ジャーナル６号59ページ（2013）
○高見憲「特許権侵害訴訟　最新判決紹介」月刊パテント65巻５号103ページ（2012）。
○土生哲也『ゼロからわかる知的財産のしくみ』（金融財政事情研究会、2015）
○永野周志『注解特許権侵害判断認定基準　第２版』（ぎょうせい、2015）
〔25章〕
○S・クリムスキー（宮田由紀夫 訳）『産学連携と科学の堕落』（海鳴社、2006）
○経済産業省産業技術環境局「我が国の産業技術に関する研究開発の動向―主要指標と調査データ　令和元年９月」（2019）
○大学技術移転協議会『大学技術移転サーベイ　大学知的財産年報2018年度版』（飛鳥井出版、2019）
○西村吉雄『産学連携　中央研究所の時代を超えて』（日経 BP 社、2003）
○日本知的財産協会「産学連携における共同研究契約　連携の多様化・高度化を見据えた契約実務」知財管理64巻８号1229ページ（2014）
○羽鳥賢一「産学連携と知的財産マネージメントの現状と課題」特技懇261号42ページ（2011）
〔26章〕
○荒井寿光＝馬場錬成『知財立国が危ない』（日本経済新聞社、2015）

【著者紹介】

荒木雅也（あらき　まさや）
昭和48（1973）年　長崎県長崎市生まれ
平成7（1995）年　中央大学法学部法律学科卒業
平成9（1997）年　中央大学大学院法学研究科博士前期課程修了
平成12（2000）年　中央大学大学院法学研究科博士後期課程単位取得
平成19（2007）年　茨城大学人文学部社会科学科准教授
平成29（2017）年　茨城大学人文社会科学部法律経済学科教授

グリームブックス（Gleam Books）
著者から受け取った機知や希望の“gleam《ひらめき》”を、読者が深い思考につなげ“gleam《かがやき》”を発見する。そんな循環がこのシリーズから生まれるよう願って名付けました。

知財語り
―基礎からわかる知的財産権―

2020年3月15日　発行　　　価格は表紙カバーに表示してあります。

著　者　　荒木　雅也

発　行　　㈱　朝　陽　会　〒340-0003　埼玉県草加市稲荷2-2-7
電話（出版）　048（951）2879
http : www.choyokai.co.jp/
編集協力　㈲　雅　粒　社　〒181-0002　東京都三鷹市牟礼1-6-5-105
電話　　0422（24）9694

ISBN978-4-903059-60-0
C0032　¥1000E　　　落丁・乱丁はお取り替えいたします。